KB101759

틈만 나면 보고 싶은
융합 과학 이야기

틈만 나면 보고 싶은 융합 과학 이야기
소리를 찾아라!

초판 1쇄 발행 2015년 7월 20일
초판 3쇄 발행 2016년 8월 22일

글 서지원, 조선학 | **그림** 임혜경 | **감수** 구본철

펴낸이 김기호 | **편집본부장** 최재혁 | **편집팀장** 최은주 | **책임편집** 최지연
디자인 마루·한 | **본문 편집** 구름돌(문주영, 이현경, 김홍비, 홍진영)
사진 제공 유로크레온, 헬로 포토, 두피디아 포토박스, PNAS

펴낸곳 동아출판㈜ | **주소** 서울시 영등포구 은행로 30 (여의도동)
대표전화(내용·구입·교환 문의) 1644-0600 | **홈페이지** www.dongapublishing.com
신고번호 제300-1951-4호(1951. 9. 19.)

ISBN 978-89-00-37934-1 74400 978-89-00-37669-2 74400 (세트)

* 이 도서의 국립중앙도서관 출판사도서목록(CIP)은 e-CIP 홈페이지(http://www.nl.go.kr)에서 이용하실 수 있습니다.

틈만 나면 보고 싶은
융합 과학 이야기

소리를 찾아라!

글 서지원·조선학 그림 임혜경
감수 구본철(전 KAIST 교수)

동아출판

추천의 말

미래 인재는 창의 융합 인재

이 책을 읽다 보니, 내가 어렸을 때 에디슨의 발명 이야기를 읽던 기억이 납니다. 그때 나는 에디슨이 달걀을 품은 이야기를 읽으면서 병아리를 부화시킬 수 있을 것 같다는 생각도 해 보았고, 에디슨이 발명한 축음기 사진을 보면서 멋진 공연을 하는 노래 요정들을 만나는 상상을 하기도 했습니다. 그러다가 직접 시계와 라디오를 분해하다 망가뜨려서 결국은 수리를 맡긴 일도 있었습니다.

지금 와서 생각해 보면 어린 시절의 경험과 생각들은 내 미래를 꿈꾸게 해 주었고, 지금의 나로 성장하게 해 주었습니다. 그래서 나는 어린 학생들을 만나면 행복한 것을 상상하고, 미래에 대한 꿈을 갖고, 꿈을 향해 열심히 도전하고, 상상한 미래를 꼭 실천해 보라고 이야기합니다.

어린이 여러분의 꿈은 무엇인가요? 여러분이 주인공이 될 미래는 어떤 세상일까요? 미래는 과학 기술이 더욱 발전해서 지금보다 더 편리하고 신기한 것도 많아지겠지만,

우리들이 함께 해결해야 할 문제들도 많아질 것입니다. 그래서 과학을 단순히 지식으로만 이해하는 것이 아니라, 세상을 아름답고 편리하게 만들기 위해 여러 관점에서 바라보고 창의적으로 접근하는 융합적인 사고가 중요합니다.
나는 여러분이 즐겁고 풍요로운 미래 세상을 열어 주는, 훌륭한 사람이 될 것이라고 믿습니다.

동아출판 〈틈만 나면 보고 싶은 융합 과학 이야기〉 시리즈는 그동안 과학을 설명하던 방식과 달리, 과학을 융합적으로 바라볼 수 있도록 구성되었습니다. 각 권은 생활 속 주제를 통해 과학(S), 기술공학(TE), 수학(M), 인문예술(A) 지식을 잘 이해하도록 도울 뿐만 아니라, 과학 원리가 우리 생활을 편리하게 해 주는 데 어떻게 활용되었는지도 잘 보여 줍니다. 나는 이 책을 읽는 어린이들이 풍부한 상상력과 창의적인 생각으로 미래 인재인 창의 융합 인재로 성장하리라는 것을 확신합니다.

전 카이스트 문화기술대학원 교수 구본철

◀ 작가의 말 ▶

눈에 보이지 않아도 세상을 아름답게 만드는 소리

사람들은 소리 속에서 살고 있어요. 비록 소리는 눈에 보이지 않지만 항상 우리 곁에 있어요. 잠잘 때, 밥을 먹을 때, 길을 갈 때, 그리고 친구들과 놀 때도 우리는 소리를 내고 소리를 듣지요.

만약 소리가 사라진다면 세상은 어떻게 될까요? 아무 소리도 들리지 않는 세상은 조용하다 못해 지루하고 따분할 거예요. 음악이 사라져서 흥도 나지 않고, 기쁘거나 슬픈 감정을 소리로 표현할 수도 없겠지요. 또 소리를 듣지 못한다면 서로 이야기할 수 없게 되겠지요. 그래서 생각이나 마음을 전하려면 오로지 글을 쓰거나 그림을 그리는 수밖에 없을 거예요. 얼마나 답답할까요? 게다가 위급한 상황에서도 소리가 들리지 않으니 눈으로 직접 보기 전에는 위험을 알아챌 수도 없겠지요. 정말 위험할 거예요.

정말 소리가 사라진다면 소리를 듣는 귀는 더 이상 쓸모가 없어지고 그러면 몸의 구조도 바뀌어 귀가 작아지거나 없어질지도 몰라요.

그렇다면 이렇게 중요한 소리는 과연 무엇일까요?

이 책은 어느 날 갑자기 소리를 잃어버린 작곡가 하이톤이 소리의 정체를 알아 가며 진정한 음악가의 모습을 깨닫게 되는 이야기예요.

자, 이제부터 우리는 하이톤과 함께 음악의 신을 만날 거예요. 그리고 소리와 음악에 대해 융합적으로 알아볼 거예요.

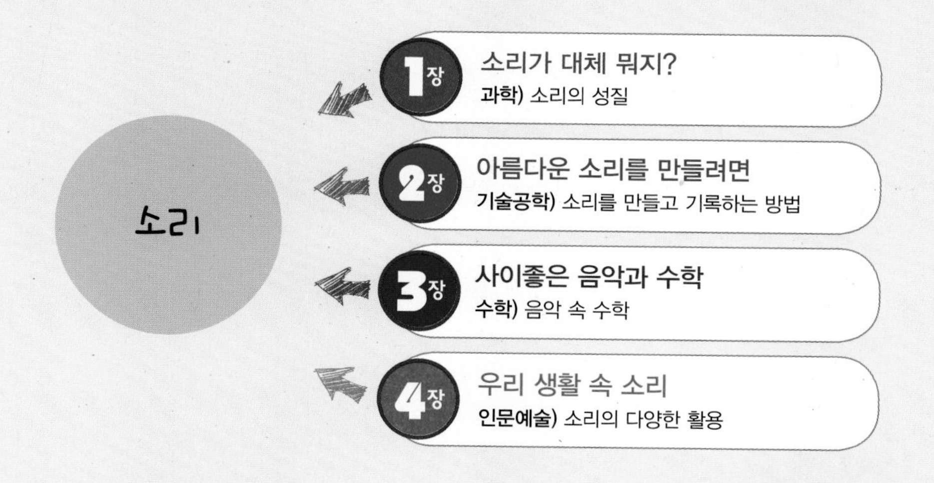

어린이 여러분, 바로 지금 이 순간에도 우리에게 소리가 전달되고 있다는 것을 잊지 마세요. 물체의 진동을 통해, 공기의 흐름을 통해, 진동하는 여러 가지 매질들을 통해 귀로 전달되는 소리! 소리는 우리의 삶을 더욱 아름답고 풍요롭게 해 주는 아주 소중한 것이랍니다.

서지원, 조선학

차례

1장 소리가 대체 뭐지?

2장 아름다운 소리를 만들려면

CONTENTS

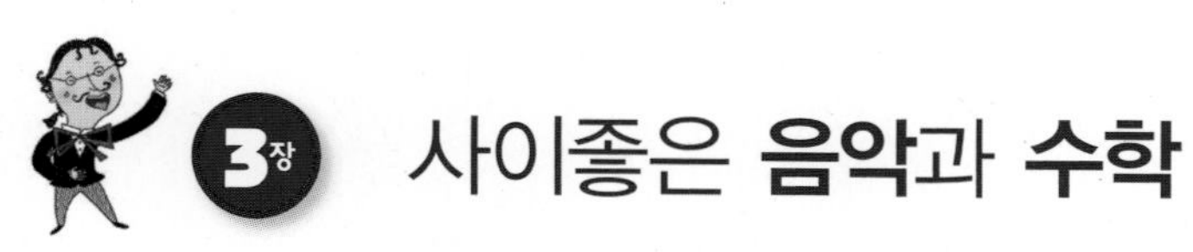

3장 사이좋은 **음악**과 **수학**

4장 우리 **생활** 속 **소리**

1장

소리가 대체 뭐지?

소리가 사라졌어

하이톤은 뒤늦게 작곡가의 길로 들어선 늦깎이 작곡가이다. 연습실에서 하루 종일 연주자들과 함께 시간을 보내며 언젠가는 훌륭한 음악가가 되길 꿈꾸고 있었다.

하이톤에게는 사랑하는 여인 엘가가 있다. 하이톤은 사랑하는 여인 엘가에게 청혼을 하려고 결심했다. 그래서 하이톤은 세상에서 가장 아름다운 음악을 만들어 엘가의 생일날 들려줄 계획을 세웠다. 하지만 막상 곡을 쓰려니 뾰족한 아이디어가 떠오르지 않았다.

"에잇, 바람이라도 쐬고 올까."

하이톤은 밖으로 나갔다. 그런데 늘 들리던 삭삭 바람 소리, 씨르륵 풀

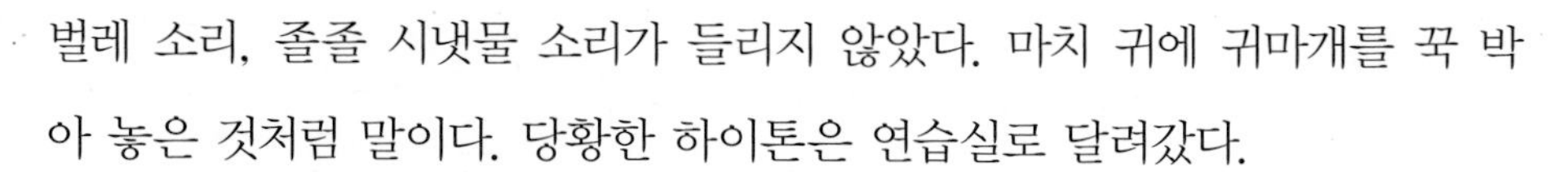

벌레 소리, 졸졸 시냇물 소리가 들리지 않았다. 마치 귀에 귀마개를 꾹 박아 놓은 것처럼 말이다. 당황한 하이톤은 연습실로 달려갔다.

"하이톤 선생님! 얼굴이 창백해요."

다행히 연주자들의 목소리는 들렸다.

"괜찮아요. 자, 빨리 악기 연주를 한번 해 보세요!"

"지, 지금요?"

연주자들은 어리둥절했지만 곧 연주를 시작했다. 연주가 계속될수록 하이톤의 얼굴은 점점 더 **창백해졌다.** 하이톤의 귀에는 악기 소리가 들리지 않았던 것이다.

'사람의 목소리만 남기고, 소리가 사라져 버렸어!'

하이톤은 그 자리에 **털썩** 주저앉고 말았다.

하이톤은 누구에게도 소리가 들리지 않는다는 사실을 말하지 못했다.

'만약 작곡가가 소리를 못 듣는다면 누가 곡을 써 달라고 부탁하겠어? 게다가 엘가에게 들려줄 음악은 어떻게 만드냐고!'

하이톤은 눈앞이 캄캄했다. 빨리 소리를 찾아야겠다는 생각뿐이었다. 그래서 무작정 소리를 찾아 밖으로 뛰쳐나갔다. 하지만 주변은 고요했다.

"대체 소리가 어디로 간 거냐고!"

하이톤은 울상을 지었다. 그때 나무 사이에서 새하얀 뭔가가 튀어나와 하이톤 앞을 휙 스치며 지나갔다. 그건 마치 커튼을 뒤집어 쓴 사람 같았다.

'저게 대체 뭐지? 누가 장난을 치는 건가?'

하이톤이 새하얀 뭔가를 뒤쫓으며 고개를 갸웃했다. 그런데 바로 앞에 커다란 트럭이 지나가는 게 보였다. 새하얀 뭔가는 트럭을 보지 못한 듯 무작정 앞으로 뛰어갔다. 새하얀 뭔가와 트럭이 부딪히기 직전, 하이톤은 아슬아슬하게 새하얀 뭔가를 잡아당겼다. 순간 트럭이 쌩하고 지나갔다.

"큰일 날 뻔 했잖아요!"

하이톤이 소리쳤다. 그러자 새하얀 뭔가가 뒤집어쓰고 있던 것을 벗어던지며 말했다.

"난 괜찮아. 넌 못 들었겠지만 난 경적 소리를 듣고 피하려던 참이었어."

새하얀 천을 벗고 나타난 건 하얀 머리를 동그랗게 말아 올린 남자였다. 남자는 풍선처럼 부풀어 오른 바지와 번쩍번쩍 보석이 박힌 조끼를 입고 허리에는 반짝이는 장식을 차고 있었다. 그 모습이 마치 아주 오래된 귀족의 초상화 속에서 걸어 나온 것만 같았다.

"제가 소리를 못 듣는 건 어떻게 아시죠? 그렇다면 혹시 왜 소리를 듣지

못하는지도 아시나요?"

하이톤이 조심스럽게 물었다. 그러자 남자는 하이톤을 향해 말했다.

"어서, 예를 갖추거라."

"예?"

"어허, 감히 음악의 신 하이든 앞에서 허리를 굽히지 않다니!"

"교향곡의 아버지, 하이든이요?"

"그래, 난 **음악의 신**이라 불리는 음악가 하이든이시다."

어리둥절한 하이톤은 이름이 비슷하다며 자기 이름을 얘기했다.

"이름이 비슷한 것도 인연이니 널 내 제자로 삼아 주마. 나처럼 위대한 음악가의 제자가 된다는 건 참으로 영광스러운 일이지. 어험."

소리는 떨림이야

하이톤은 어떻게 해서든 소리를 다시 듣고 싶다는 생각으로 음악의 신에게 간절하게 물었다.

"음악의 신이시여, 제가 소리를 왜 듣지 못하는지 아시나요?"

"그건 천천히 이야기하고. 우선 소리에 대해서는 알고 있나?"

"소리요? 사람의 말소리부터 자동차의 엔진 소리, 동물의 울음소리, 바람소리, 물소리까지 우리 주변에는 여러 가지 소리들이 있어요."

"그렇다면 늘 우리 곁에 있는 소리! 이 소리의 정체는 대체 무엇일까? 소리는 어떻게 만들어질까?"

"글쎄요. 그것까지는 생각해 보지 않았는데, 굳이 알 필요도 없고요."

"그래, 넌 제자니까 모르는 게 당연해. 소리에 대해 이해하려면 먼저 파동에 대해 알아야 하는데 이건 굉장히 어려운 거거든."

"파동이요?"

"파동이란 한곳에서 생긴 진동이 차츰 주위로 퍼져 나가는 것을 말해. 잔잔한 연못에 돌멩이를 하나 던졌다고 상상해 봐. 돌멩이가 물속에 퐁 떨어지면서 어떻게 되겠어?"

하이톤은 호수에다가 돌멩이를 던지는 상상을 했다. 잔잔한 호수에 동그란 물결이 점점 퍼져 나가며 점점 더 커지는 모습이 떠올랐다.

파동 만들기

준비물 셀로판테이프, 사인펜, 자, 빨대 100개

실험 방법

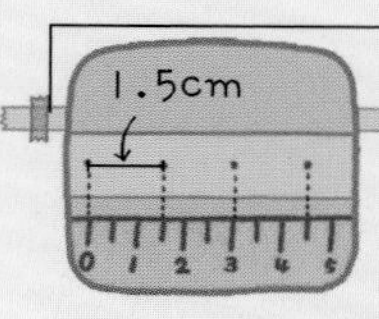

① 셀로판테이프를 1.5m 정도 잘라 끈끈한 면이 위로 오게 고정시키고, 사인펜으로 1.5cm 간격의 점을 찍는다.

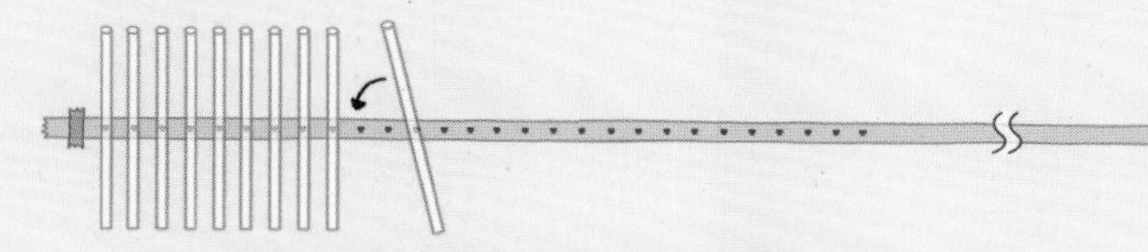

② 찍어 놓은 점에 빨대의 가운데를 맞추어 붙인다.

③ 빨대가 아래로 향하도록 셀로판테이프를 뒤집은 다음, 양 끝을 두 개의 의자 사이에 붙여 고정시킨다.

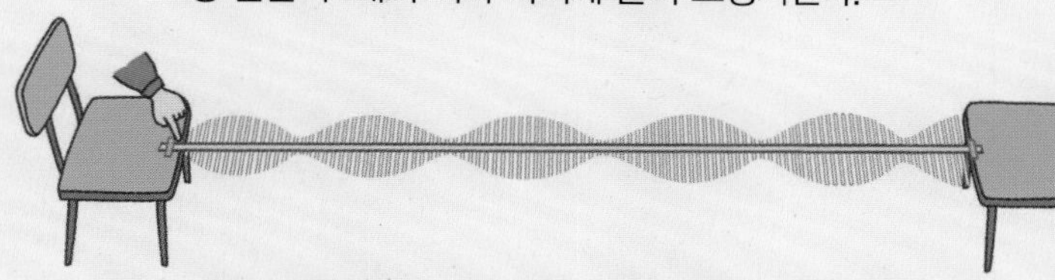

④ 끝에 있는 빨대를 손가락으로 친 다음, 셀로판테이프에 붙어 있는 빨대의 움직임을 관찰한다.

실험 결과 각각의 빨대는 제자리에서 위아래로 회전하면서 움직인다. 빨대의 흔들림은 테이프를 타고 옆으로 전달되면서 퍼져 나가는데, 이것은 파동이 퍼져 나가는 모습과 같다.

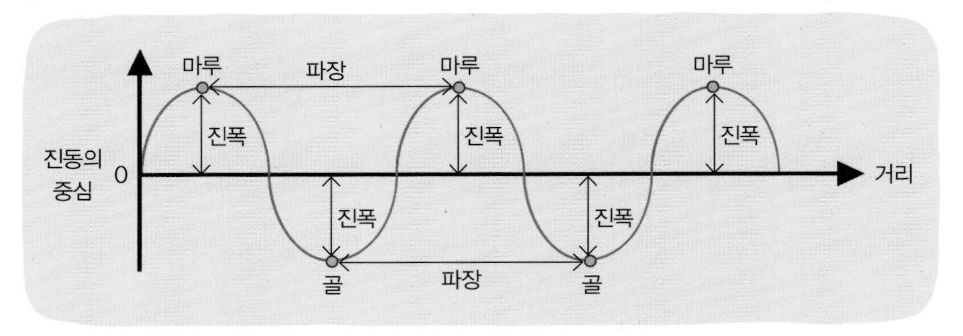

거리에 따른 파동의 모양
파동의 가장 높은 곳을 '마루', 파동의 가장 낮은 곳을 '골', 진동의 중심에서 마루나 골까지의 거리를 '진폭'이라고 한다. 마루에서 다음 마루 또는 골에서 다음 골까지의 거리를 '파장'이라고 한다.

"파동 설명은 알겠어요. 그래서요?"

하이톤이 묻자 음악의 신이 힐끗 노려봤다. 마치 독수리의 눈빛처럼 매서워서 하이톤은 슬그머니 눈을 피했다.

"혹시 큰 소리가 나는 스피커에 손을 대고 스피커가 떨리는 것을 느껴 본 적이 있나?"

"그럼요."

"그럼 기타 줄을 퉁겼을 때 줄이 떨리는 것도 봤어?"

"물론이죠."

"목젖에 손을 대고 말하면 약하게 목젖이 떨리는 것을 느껴 본 적은 있나?"

"당연하죠. 이렇게 하면 언제든 느낄 수 있잖아요."

하이톤은 아아 하고 소리를 내며 목젖에 손을 댔다. 그러자 미세한 진동이 느껴졌다.

"바로 그거야."

소리 전달하기

준비물 실 전화기, 용수철

실험 방법

① 두 사람이 실 전화기 양쪽을 잡고, 한 사람이 종이컵에 대고 말하면 한 사람은 종이컵을 귀에 대고 들어 본다.

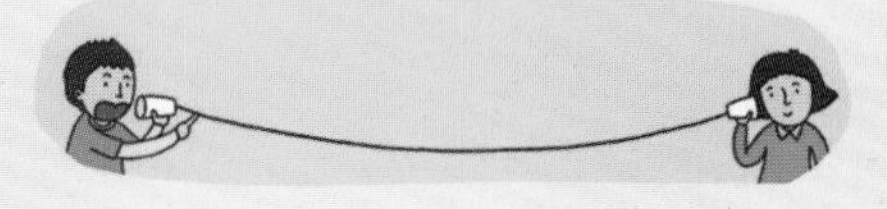

② 실 전화기의 실을 느슨하게 하고 말할 때와 팽팽하게 당겨 말할 때의 차이점을 살펴본다.

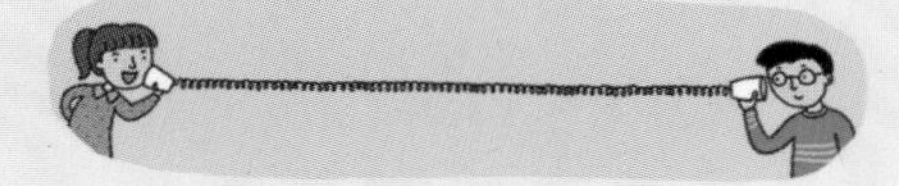

③ 실 부분을 용수철로 바꿔서 ①,②와 같이 해 본다.

실험 결과 실 전화기에서는 실을 통해서 소리가 전달되고, 용수철 전화기에서는 용수철을 통해서 소리가 전달된다.
실이나 용수철이 느슨하면 소리가 잘 전달되지 않는데 이것은 기타 줄이 느슨하면 소리가 제대로 나지 않는 것과 같은 원리이다.
용수철 전화기는 실 전화기에 비해 소리가 울리는데 이것은 실보다 용수철에서 소리가 더 빠르게 전달되기 때문이다.

"뭐, 뭐가요?"

"공기든, 악기든, 목젖이든 진동해야 소리가 나지. 진동하는 것, 떨리는 것! 소리는 바로 거기서부터 출발해. 떨리지 않으면 소리가 날 수 없어."

"그럼 무엇이든 진동하면 소리가 나고, 그러면 소리를 들을 수 있나요?"

음악의 신은 단호하게 고개를 가로저으며 말했다.

"물체가 떨리면 소리가 나. 하지만 그걸 우리가 들으려면 소리의 진동을 전달하는 물질인 매질이 있어야 해."

"그럼 전 매질만 찾으면 되는 건가요?"

하이톤이 묻자 음악의 신은 답답하다는 표정을 지었다.

"로버트 보일이라는 과학자에 대해 아니?"

"작곡가가 과학자를 다 알리가 없죠."

음악의 신을 혀를 끌끌 차며 말을 이어 갔다.

"보일은 종이 달린 장치를 유리병에 넣고 공기가 없을 때 종을 울리면 소리가 나는지 실험해 봤지."

"보일은 그런 실험을 왜 한 거예요?"

"소리를 전달하는 매질이 뭔지 찾고 싶어서였어."

하이톤이 무릎을 탁 쳤다.

"그렇군요!"

"보일은 먼저 유리병 속의 종을 울려 보았어. 그랬더니 종소리가 유리병 밖에서도 잘 들렸지. 그다음에는 유리병 속 공기를 조금씩 빼면서 변화를 관찰했어. 결과가 어떻게 되었을까?"

"공기랑 소리랑은 별 상관이 없으니까 뭐 똑같이 들렸겠죠."

"하나를 가르쳐 주면 정말 하나밖에 모르는군, 제자."

음악의 신은 공기의 양이 줄어들수록 종소리가 작아졌다고 말했다. 그리고 공기를 모두 뺀 유리병에서는 소리가 나지 않았다고 했다.

"왜 공기를 빼면 소리가 나지 않는 거죠?"

"왜냐하면 공기가 없는 유리병 속에는 소리의 진동을 전달할 물질이 없기 때문이지."

"그럼 공기가 소리의 진동을 전달하는 매질이라는 건가요?"

"그래, **바로 그거야!**"

"에이, 그럼 공기가 없는 우주에선 소리가 전혀 안 들리게요?"

"그렇지. 이제야 하나를 가르쳐 주니 겨우 둘을 깨우치는군."

하이톤은 공기가 없으면 소리가 들리지 않는다는 사실이 놀라웠다.

"영화에서는 틀림없이 우주인이 달 표면을 밟을 때 쿵 소리가 났었어요."

"그건 영화니까 그런 거지. 실제 우주에서는 발소리가 들리지 않아. 우주에는 매질인 공기가 없기 때문에, 진동이 전달되지 않아서 소리를 들을 수 없어."

그때 하이톤은 궁금한 게 하나 생겼다.

'그렇다면 소리는 공기로만 전달되는 걸까?'

"아니, 소리는 공기뿐만 아니라 흙이나 나무 같은 고체로도 전달돼."

하이톤이 물어볼까 말까 고민하고 있는데 음악의 신이 말했다.

하이톤이 어떻게 자신의 생각을 알아챘냐는 듯 눈을 부릅떴다. 그러자 음악의 신은 자신이 신이라는 걸 잊었냐며 거드름을 피웠다.

“땅에 귀를 대고 있으면 발소리를 더 잘 들을 수 있고, 나무로 만든 벽에 귀를 대면 벽 건너편에서 말하는 사람의 작은 목소리까지 들을 수 있지. 흙과 나무도 소리를 전달하는 매질이기 때문이야.”

“아, 옛날 사람들은 땅에 귀를 대고서 동물들이 이동하는 소리를 듣고 사냥을 했다는 얘기를 들은 적이 있어요. 그런데 물에서도 소리를 들을 수 있나요? 물에서 말하면 아무 소리도 안 들릴 것 같은데…….”

“수중 발레리나들이 물속에서 **음악에 맞춰** 헤엄치면서 다양한 동작을 하는 모습을 본 적 있지?”

“아! 텔레비전에서 본 적 있어요.”

“물에서도 소리가 전달되기 때문에 물속 스피커에서 나오는 음악을 듣고 수중 발레리나들이 음악에 맞춰 동작을 표현하는 거야.”

하이톤은 새로운 사실을 깨달았다며 감탄했다.

소리가 전달되기까지

'지금 내가 숨을 쉬고 있으니 공기가 있는 건 당연하고, 내 주변엔 흙, 나무, 물이 있어. 그럼 매질이 있는데 나는 왜 소리를 듣지 못할까?'

하이톤이 속으로 궁금해하고 있는데, 음악의 신은 또 금방 알아차렸다.

"왜 소리가 들리지 않는지 궁금하지?"

하이톤이 고개를 끄덕였다.

"소리를 어디로 들어?"

"귀로 듣죠."

"그래, 귀는 바깥귀, 가운데귀, 속귀로 이어져 있어. 바깥귀에는 쫑긋한 부분인 귓바퀴와 아래로 늘어진 귓불이 있어. 소리가 귓바퀴로 전달되면 귓바퀴는 소리를 모으고, 모아진 소리는 바깥귀길로 들어가지."

"소리가 들어가는 길이 아주 복잡하네요."

"맞아, 바깥귀길은 귀 털과 귀지로 밖에서 들어오는 이물질을 막아 줘. 바깥귀길을 지난 소리는 가운데귀로 이동하지. 그러면 소리는 바깥귀길과 가운데귀 경계에 있는 얇은 막인 고막을 진동시키고 청소골로 이동해. 청소골은 망치뼈, 모루뼈, 등자뼈로 구성되는데, 이 세 개의 뼈가 서로 부딪치면서 소리의 진동을 더 크게 만들어 속귀로 보내지."

하이톤은 설명이 지루한 듯 얼굴을 찌푸렸다.

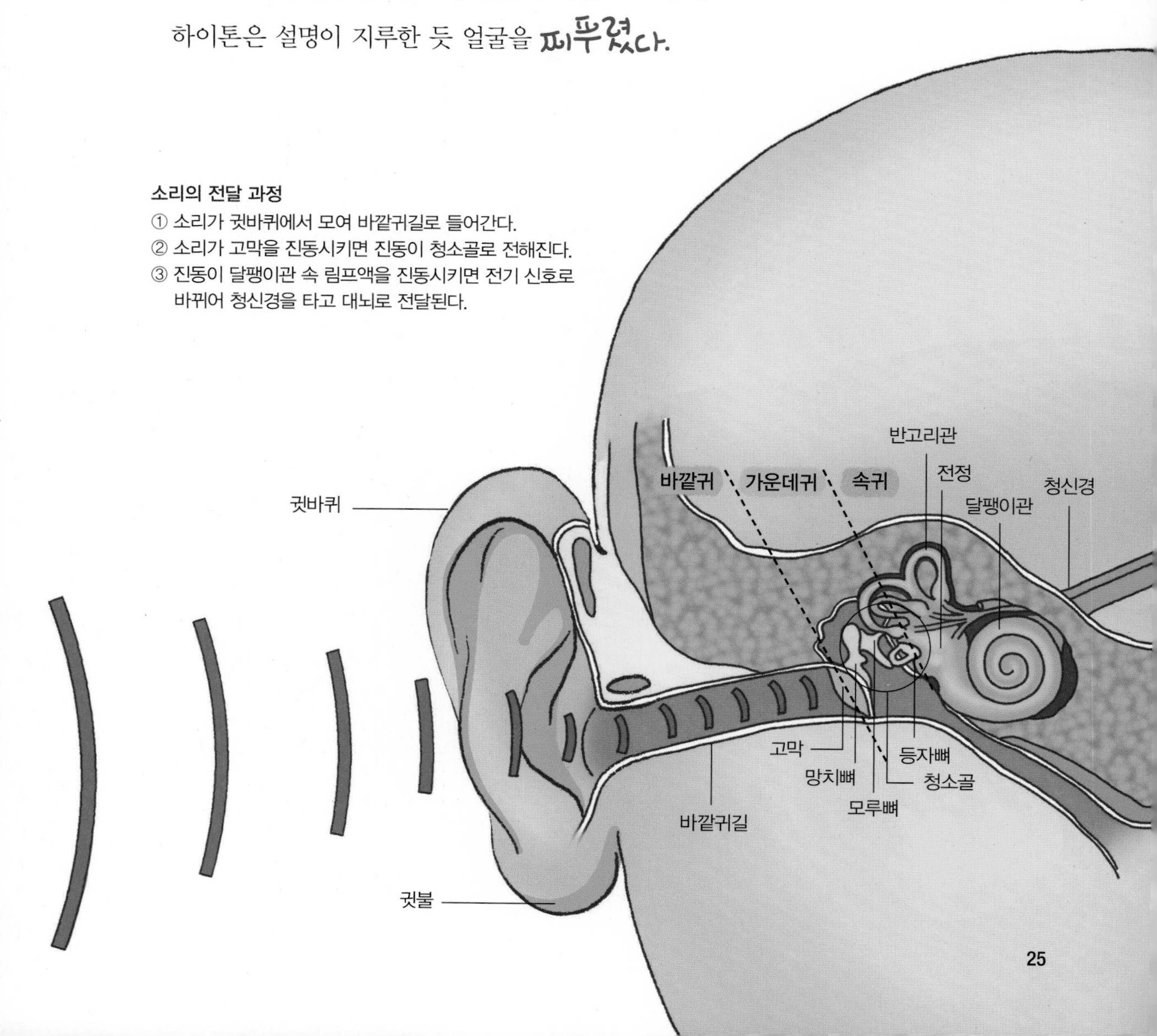

소리의 전달 과정

① 소리가 귓바퀴에서 모여 바깥귀길로 들어간다.
② 소리가 고막을 진동시키면 진동이 청소골로 전해진다.
③ 진동이 달팽이관 속 림프액을 진동시키면 전기 신호로 바뀌어 청신경을 타고 대뇌로 전달된다.

"아직 멀었어. 잘 들어 봐. 속귀는 달팽이관, 전정, 반고리관으로 되어 있는데, 청소골을 지나 속귀로 들어온 소리의 진동은 달팽이관에 들어와 달팽이관을 채우고 있는 림프액을 진동시켜. 그러면 림프액의 진동이 전기 신호로 바뀌어 청신경을 타고 대뇌로 전달되지."

"아직 귓속 길을 더 지나야 하나요?"

"아니, 이제 소리가 **뇌로 전달되면** 우리가 소리를 듣게 돼."

"엄청 복잡하네요. 그런데 속귀에 전정과 반고리관은 왜 있는 거예요?"

"그 두 기관은 소리를 들을 때는 필요 없지만 몸의 균형을 잡을 때 꼭 필요한 평형 기관이야."

'난 지금도 몸의 균형을 잘 잡고 있으니 전정, 반고리관은 문제 없고, 바깥귀나 달팽이관에 문제가 생겼나?'

하이톤은 속으로 귀가 잘못된 걸까 하고 고민했다. 만약 그런 거라면 평생 소리를 들을 수 없을지도 모르는 일이었다.

"그런 걱정은 안 해도 돼."

하지만 이번에도 음악의 신이 어찌 알았는지 하이톤의 속마음을 읽는 것처럼 **한 줄기 빛** 같은 말을 해 주었다.

"귀에 문제가 있으면 뼈를 이용해서 소리를 들으면 되니까."

"뼈를 이용한다고요? 뼈도 귀처럼 소리를 전달해 주나요?"

"맞아. 자기 목소리를 녹음해서 들어

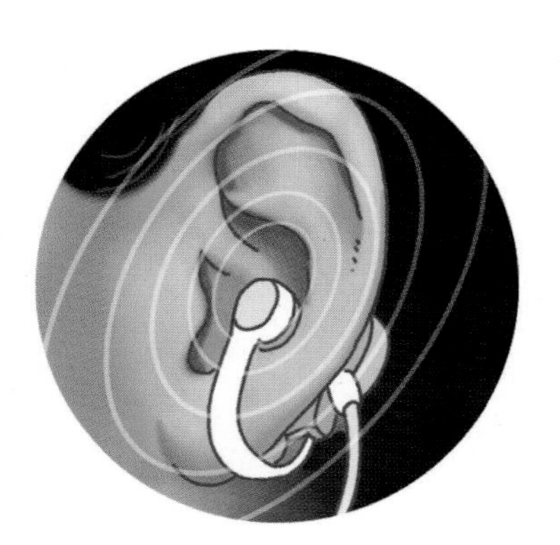

뼈전도 이어폰은 바깥귀에 붙이는 이어폰으로, 머리뼈를 진동시켜 소리를 전달한다. 그래서 귀로 소리를 듣지 못하는 사람도 소리를 들을 수 있다.

보면 평소에 듣던 것과 조금 다르게 들려. 평소에 사람이 말을 하면서 듣는 자기 목소리는 공기로 전달되는 소리와 머리뼈로 전달되는 소리가 합쳐진 거라 그래. 근데 녹음해서 듣는 소리에는 머리뼈로 전달되는 소리가 빠져 있잖아."

"음, 그렇군요."

"게다가 머리뼈로 전달되는 소리는 공기로 전달되는 소리보다 조금 낮아. 그래서 내가 듣는 내 목소리와 다른 사람이 듣는 내 목소리가 약간 다르지."

저마다 다른 목소리

갑자기 음악의 신이 벌떡 일어나더니 두 팔을 벌리고 노래하기 시작했다. 마치 성악가처럼 굵은 소리로 **고오오오** 하고 소리를 냈다. 음악의 신이라지만 노래 실력은 영 별로였다.

"어때, 내 노래 실력?"

"자, 잘하시네요."

하이톤은 얼버무리며 대답했다.

"**킥킥,** 내가 예전부터 목소리 좋단 소리를 아주 많이 들었지. 그거 알아? 목소리는 사람마다 달라. 그렇기 때문에 목소리만 들어도 누구인지 알 수 있지."

"아, 그러고 보니 목소리가 비슷한 사람은 별로 본 적이 없어요."

"그건 성대의 크기, 그 안으로 들어가는 공기의 양이 저마다 다르기 때문이야. 성대는 목 안에 있는 한 쌍의 주름인데 벌어졌다 닫혔다 하는 특징이 있어. 사람이 숨을 쉴 때는 성대가 양옆으로 벌어지면서 공기가 드나들게 돼. 반면에 소리를 내거나 숨을 참을 때는 어떻게 되겠어?"

“성대의 틈이 좁아지겠죠?”

“맞아, 이때 폐에서 공기를 내뿜으면 성대의 주름이 진동하면서 소리를 내는 거야.”

하이톤은 문득 어린 시절 자신의 목소리가 생각났다. 지금과 비교하면 정말 가늘고 고왔었다.

“음악의 신이시여, 저는 어릴 때 목소리가 지금보다 높고 가늘었어요. 그런데 목소리가 왜 변한 거예요?”

“그건 성대의 굵기와 길이가 달라졌기 때문이야. 어린아이는 성대가 아주 작지만 몸이 성장하면서 성대도 커져. 그리고 굵어지겠지. 그러면서 목소리가 변하는 거야.”

“아, 생각해 보니 저도 청소년 시기에 키가 확 크고, 몸집이 커지면서 목소리가 변했어요.”

“그래, 성대에 변화가 생겨 목소리가 변하는 시기를 변성기라고 하지.”

음악의 신은 보통 성대가 굵고 길수록 낮고 두꺼운 목소리가 나고, 성대가 가늘고 짧을수록 높고 가벼운 목소리가 난다고 덧붙였다.

어린아이는 보통 어른보다
성대가 짧고 얇아서
목소리가 높고 가볍다.

여자는 남자보다 성대가 얇아서
성대의 주름이 많이 진동하여
남자보다 높고 가는 목소리가 난다.

남자는 여자보다 성대가 굵고 길어서
성대의 주름이 적게 진동하여
여자보다 낮고 굵은 목소리가 난다.

높은 소리와 낮은 소리

“그럼 계속 목이나 풀어 볼까? 끄아아악!”

하이톤은 눈살을 찌푸렸다.

“음, 오랜만에 노래했는데도 예전 실력 그대로군. 이래 뵈도 한때 내가 높은 음의 신이란 소리도 들었어. 내가 얼마나 높은 소리를 낼 수 있는지 들려주지.”

신난 음악의 신은 방금 전까지만 하더라도 칵칵 굵고 낮은 소리를 내더니만, 갑자기 돌고래처럼 끽끽 높은 소리를 냈다.

“악, 시끄러워요!”

음악의 신은 얼굴을 붉히고는 소리에 높낮이가 있는 걸 알려 주려 했다며 말을 돌렸다. 소리가 높고 낮은 것은 주파수와 관계가 있다고 했다.

“주파수는 헤르츠(Hz)라는 단위로 나타내는데, 1초 동안의 진동 횟수이지. 헤르츠는 독일의 물리학자 하인리히 헤르츠의 이름을 딴 거야. 걔도 내가 아는 사람이지.”

여성의 높은 목소리는 남성의 낮은 목소리보다 진동이 빠르다. 진동이 빠르면 주파수가 크다. 따라서 여성의 높은 목소리는 남성의 낮은 목소리보다 주파수가 크다.

"네, 어련하시겠어요."

"보통 사람들이 듣는 소리는 주파수가 16Hz에서 20,000Hz 사인데, 그중에서도 100Hz에서 4,000Hz 사이의 소리가 가장 잘 들려."

개는 사람보다 소리를 더 잘 듣는다. 개가 들을 수 있는 소리의 주파수는 15Hz~80,000Hz이기 때문이다.

하이톤이 고개를 끄덕였다.

"그런데 재미있는 것은 주파수가 너무 낮거나, 지나치게 높으면 사람이 들을 수 없다는 거야. 실제로 사람은 주파수가 16Hz 이하인 소리를 잘 듣지 못해."

하이톤은 흥미롭다는 듯 좀 더 자세히 얘기해 달라고 졸랐다.

"사람이 들을 수 없는 높은 주파수의 소리를 초음파, 낮은 주파수의 소리를 초저주파라고 해. 그런데 초음파나 초저주파를 듣는 동물들이 있어. 돌고래는 초음파로 대화를 하고, 박쥐는 초음파로 사냥을 해. 암컷 코끼리는 멀리 있는 수컷에게 초저주파로 신호를 보내지."

돌고래는 초음파로 대화하고 먹이를 찾는다.

박쥐는 초음파를 쏘아 되돌아오는 초음파를 듣고 먹이를 잡는다.

음악의 신은 화산 폭발, 지진, 해일과 같은 자연재해가 일어나기 전에는 초저주파가 발생한다고 했다. 그래서 자연재해가 일어나기 전에 초저주파를 들은 동물들이 사람보다 **먼저 알고** 위험한 지역을 피해 도망간다는 것이다.

"초저주파는 아주 먼 곳까지도 전달되기 때문에 먼 곳에 있는 동물들도 초저주파를 느낄 수 있어."

"그럼 초음파를 연구하면 저도 소리를 다시 들을 수 있을까요?"

하이톤은 당장 집으로 달려가 연구할 기세로 물었다.

“이미 초음파를 여러 가지 과학 기술에 활용하고 있어. 바다 밑을 탐사할 때 초음파를 쏘고 반사되는 시간을 측정하여 바다의 깊이를 알아내지. 또 초음파가 몸속에 들어갔다가 근육, 내장 기관 등에 반사되는 원리를 이용해서 태아의 모습을 확인하기도 해. 하지만 안타깝게도 제자의 문제는 초음파로 해결할 수가 없어.”

“흑, 그렇군요.”

하이톤이 실망하자 음악의 신은 하이톤의 등을 토닥이며 신기한 가전제품을 알려 줬다. 바로 초음파의 강한 진동으로 그릇에 묻은 음식물을 씻어 주는 초음파 식기세척기였다. 들은 적은 있지만 아무리 생각해도 초음파가 설거지를 하는 것은 놀랍다며 하이톤이 빙긋 웃었다.

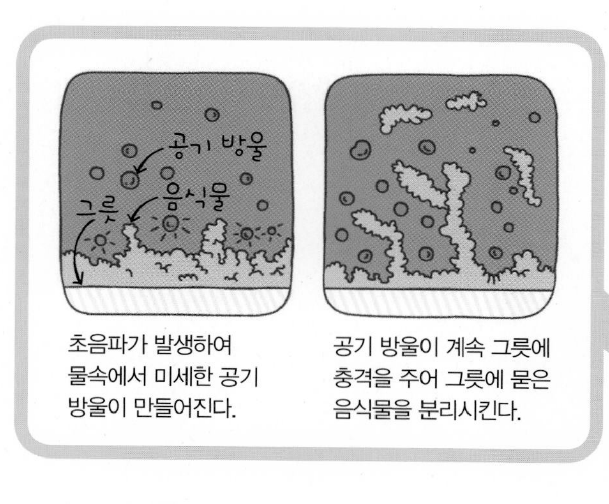

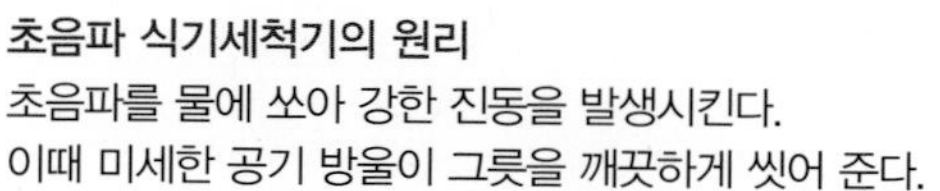
초음파 식기세척기의 원리
초음파를 물에 쏘아 강한 진동을 발생시킨다.
이때 미세한 공기 방울이 그릇을 깨끗하게 씻어 준다.

큰 소리와 작은 소리

"휴, 그럼 저는 왜 소리가 들리지 않는 걸까요?"

하이톤이 절망해서 외쳤다.

음악의 신은 잠시 고민하더니 이렇게 말했다.

"혹시 작은 소리만 못 듣는 건 아닐까?"

"작은 소리요? 연주 소리도 들리지 않았는데……."

"그래? 그럼 아닌가?"

그러고서 음악의 신은 입을 벙긋거렸다.

"어때, 소리가 들려?"

"아뇨……. 입만 벙긋거리는 거 같은데요."

"역시! 작은 소리를 못 듣는 게 틀림없어."

하이톤은 그렇게 작은 소리는 누구든 못 들을 거라고 대꾸하고 싶었지만 꾹 참았다.

"으흠, 소리의 크기란 말이지……."

음악의 신이 헛기침하며 으스댔다.

"소리의 크기는 진폭과 관계가 있어. 물체가 진동할 때 진동의 중심에서 최대로 진동할 때까지의 거리를 진폭이라고 했었지? 진폭이 크면 큰 소리가 나고, 진폭이 작으면 작은 소리가 나."

하이톤은 어렵다는 듯 인상을 찌푸렸다. 그러거나 말거나 음악의 신은 계속 설명을 이어 나갔다.

"소리의 상대적인 크기는 데시벨(dB)이라는 단위로 나타내. 층간 소음을 측정할 때도 데시벨을 사용하지. 위층에서 큰 소리를 내면 아래층 사람들에게 불편을 주니까 조심해야 해. 어쨌든 10dB은 손목시계의 초침 소리처럼 아주 작은 소리고, 100dB은 천둥소리처럼 매우 큰 소리지."

"그럼 전 데시벨이 낮은 소리를 못 듣는 건가요? 모든 소리의 데시벨을 높이면 들릴까요?"

하이톤이 묻자 음악의 신이 집게손가락을 가로저으며 말했다.

"아니! 사람은 약 80dB 이상의 소리를 계속 들으면 귀에 이상이 생길 수 있어. 또 160dB 이상의 소리는 사람의 고막이 찢어지거나 청력을 잃게 할 정도로 강한 충격을 주지."

음악의 신은 이 모든 것을 알고 있는 자기 자신이 자랑스럽다는 듯 씩 웃음을 지었다. 하지만 하이톤은 부글부글 속이 끓어올랐다.

'대체 왜 소리가 안 들리는 거냐고! 난 그게 궁금하다고! 그게!'

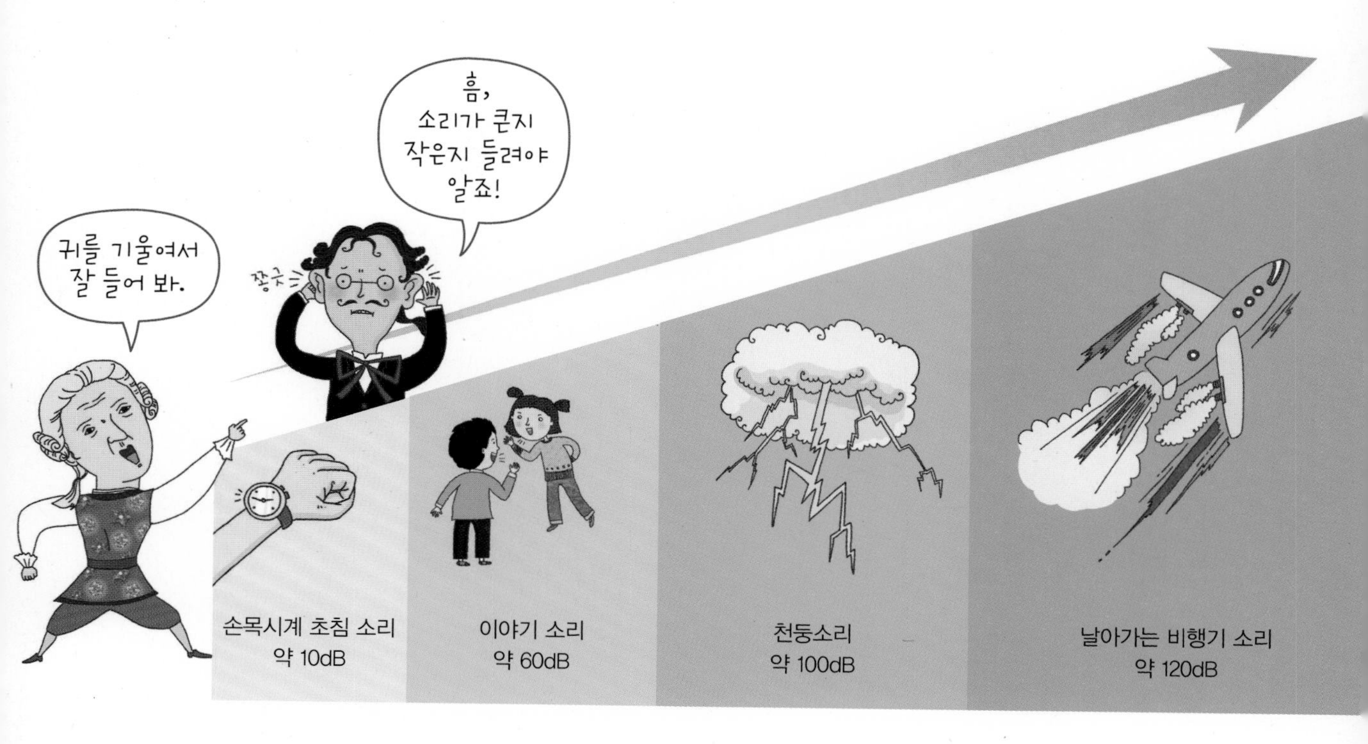

소리는 꺾이고 반사되고 돌아가

"소리의 성질에 대해 좀 더 알아보는 게 어때? 어쩌면 거기서 답을 찾을 지도 모르니까. 그리고 제자는 명색이 작곡가잖아. 작곡가라면 소리를 잘 알아야 할 거 아냐."

"소리에도 성질이 있어요?"

"당연하지. 제자가 성급한 성질이 있듯이 소리에도 여러 가지 성질이 있어. 우선 매질에 따라 소리의 속도가 달라지는 성질이 있어."

음악의 신은 소리가 나아가다 다른 매질을 만나면 속도가 달라져서 나아가는 방향이 꺾인다고 했다. 그리고 그런 현상을 소리의 굴절이라고 했다.

"또 소리는 공기가 뜨거울 때와 차가울 때도 속도가 달라. 공기가 뜨거울수록 소리의 속도가 빠르지. 그래서 뜨거운 공기에서 차가운 공기 쪽으로 소리가 나아가면 뜨거운 공기와 차가운 공기의 경계에서 소리가 차가운 공기 쪽으로 굴절해."

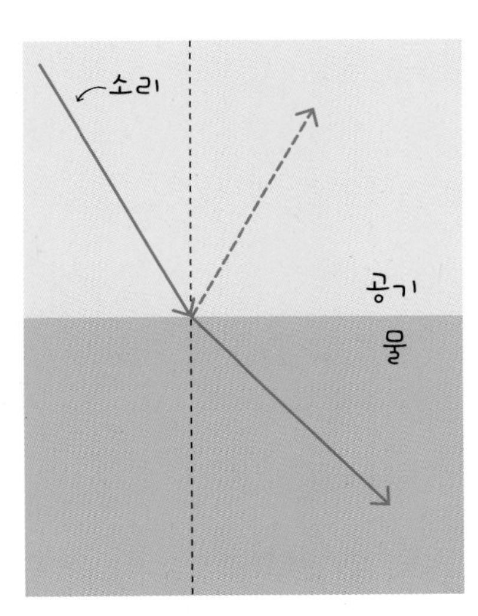

공기를 지나가던 소리가 물을 만나면 소리의 일부는 반사되고 나머지는 공기 쪽으로 꺾이는 굴절 현상이 일어난다.

음악의 신은 같은 이유로 낮과 밤에 땅 쪽과 위쪽에 기온이 달라져서 건물 위층과 아래층으로 전달되는 소리가 달라진다고 했다. 낮과 밤에 기온이 변화하여 소리의 속도 차이가 생기기 때문이라는 것이다.

"그러니까 낮과 밤에 땅 쪽과 위쪽의 온도 차이 때문에 낮에는 소리가 위쪽으로 꺾이고, 밤에는 소리가 아래쪽으로 꺾이는 거야."

"그래요?"

"응, 그래서 높은 건물 위층에서는 주변 도로의 소리가 낮에 더 크게 들리고, 아래층에서는 밤에 더 크게 들려."

"그런 것도 있군요!"

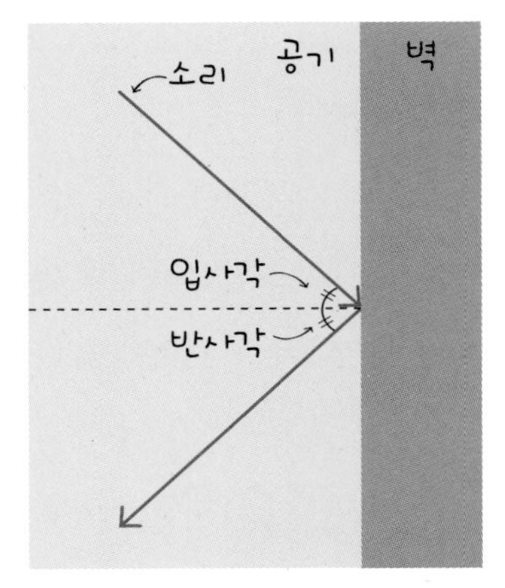

같은 매질에서 소리가 반사될 때는 입사각과 반사각의 크기가 같다.

"또 소리는 벽처럼 통과할 수 없는 물체를 만나면 반사돼. 앞으로 나아가던 소리가 다른 물체에 부딪쳐서 나아가던 방향을 바꾸는 것을 소리의 반사라고 하지."

음악의 신은 어디서든 소리의 반사를 쉽게 경험할 수 있다고 했다. 산꼭대기에 올라가 소리를 지르면 되돌아오는 메아리도 소리가 산이나 절벽 같은 데에 부딪쳐 반사되어 되돌아오는 것이라고 했다.

"소리가 콘크리트 벽, 금속판과 같이 평평하고 단단한 물체에 부딪치면 대부분 반사되지. 그래서 사방이 막힌 공간에서 **소리를 지르면** 벽이나 천장에 반사되어 금방 되돌아와. 그러면 우리는 반사된 소리를 듣게 되는 거야. 물론 반사되지 않고 직접 들리는 소리도 함께 듣는 거고."

"그럼 방에서 음악을 들을 때도 그렇겠네요."

"맞아. 우리가 방에서 음악을 들을 때에도 직접 들리는 직접음과 벽이나 천장에서 반사되어 되돌아오는 반사음을 동시에 듣는 거지. 강당이나 공연장에서 들리는 소리도 직접음과 반사음이 합쳐진 거야."

음악의 신은 직접음은 소리가 나는 곳에서 가장 짧은 거리로 직접 전달되는 소리이고, 반사음은 소리가 멀리 나아가다가 어떤 물체에 부딪친 다음 되돌아와 전달되는 소리라고 자세히 알려 줬다.

"소리가 반사된다니 재미있네요."

"하지만 소리가 항상 반사되기만 하는 건 아니야."

"그럼요?"

하이톤이 고개를 갸웃했다.

"소리는 통과할 수 없는 물질을 만나면 반사되기도 하지만 그 물질의 뒤쪽으로 돌아서 가기도 해. 또 좁은 틈이 있으면 그 틈을 지나 사방으로 퍼지기도 해."

"소리가 제법 똑똑하네요!"

"킥킥, 이걸 소리의 회절이라고 하지. 예를 들어 담장 너머의 개 짖는 소리가 크게 들리는 것이나, 거실에 틀어 둔 텔레비전 소리가 여러 방에서 들리는 것도 모두 소리의 회절 때문이야."

하이톤은 고개를 끄덕거렸다.

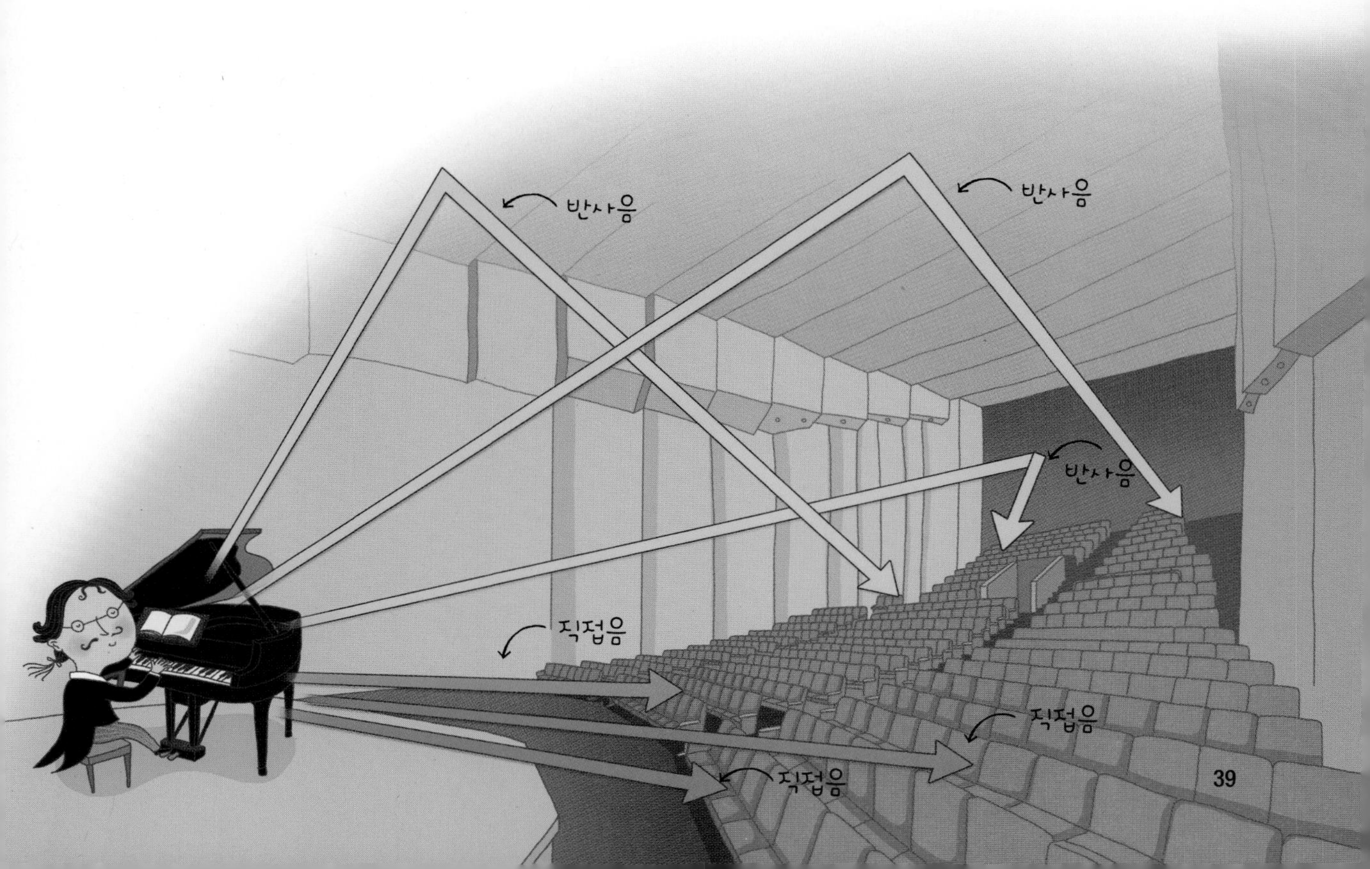

소리마다 진동수가 달라

하이톤은 이런 소리의 성질을 알아도 자기가 왜 소리를 듣지 못하는지는 알 수가 없었다. 하이톤은 속으로 '그래서요? 그래서 난 왜 소리를 듣지 못하죠?'라고 되묻고 싶었다. 음악의 신은 그걸 눈치 챘는지 슬그머니 뭔가 꺼내 놓았다.

"이건 소리굽쇠잖아요?"

"그래, 소리의 진동수를 알아볼 때 사용하지."

음악의 신은 소리엔 저마다 고유한 진동수가 있다고 했다. 물체마다 다른 소리를 내는 것도 고유 진동수 때문이라고 했다.

사실 하이톤도 소리굽쇠를 여러 번 사용한 적이 있다. 악기를 조율할 때는 늘 소리굽쇠를 이용해 왔다.

"악기의 특정한 음이 가진 진동수를 알고 소리굽쇠를 이용하면 정확한 음을 맞출 수 있어. 예를 들어 '솔' 음이 여섯 번 진동한다고 가정할 때, 소리굽쇠가 다섯 번밖에 진동하지 않았다면 '솔' 음이 제대로 조율되지 않은

거야.”

“그 정도는 저도 알아요. 악기 조율이야 늘 하는 일인데요.”

하이톤이 입을 삐쭉이며 말했다.

“그래, 악기를 조율할 때는 줄의 느슨한 정도를 조절해서 소리굽쇠가 음에 맞게 진동할 때까지 조율하지. 그런데 제자, 네 귀엔 공명이 발생한 걸지도 몰라.”

“음, 공명이라고요?”

“공명이란 한 물체가 진동할 때, 고유 진동수가 같은 다른 물체도 함께 진동하는 현상이야.”

‘정말 그런 이유로 소리가 들리지 않는 걸까? 진동이 함께 일어난다고 안 들리는 건 말도 안돼. 오히려 더 시끄럽게 들려야지.’

하이톤은 진동하는 소리굽쇠를 바라보며 고개를 갸웃거렸다. 아무래도 그건 이유가 되지 않을 것 같았다.

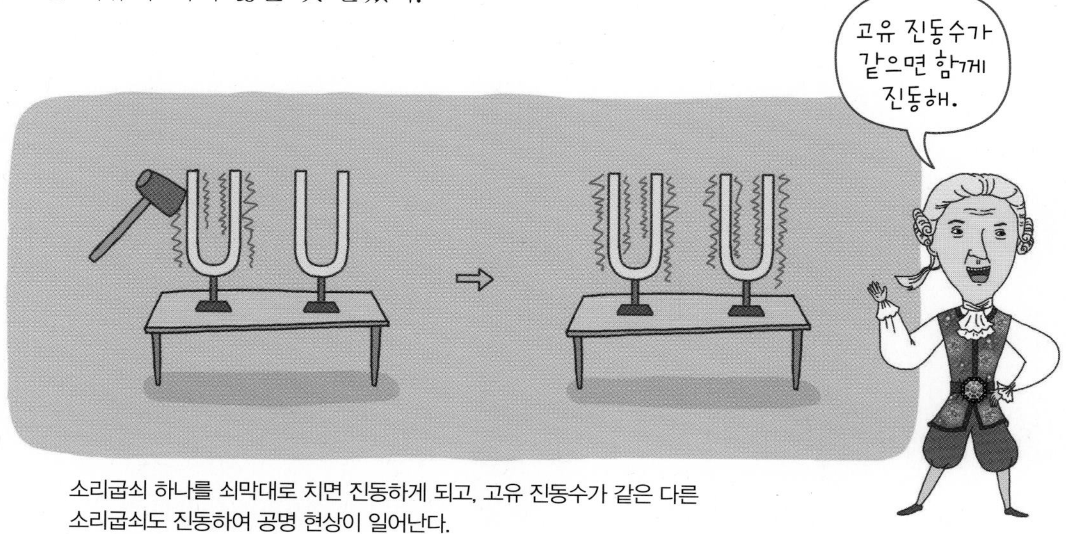

소리굽쇠 하나를 쇠막대로 치면 진동하게 되고, 고유 진동수가 같은 다른 소리굽쇠도 진동하여 공명 현상이 일어난다.

"어떤 물체의 고유 진동수와 같은 파동이 계속해서 물체에 부딪치면 그 진동은 점점 커져. 이런 원리로 사람이 유리잔의 고유 진동수와 같은 진동수의 목소리를 낸다면 유리잔을 깨뜨릴 수도 있어."

하이톤이 설마 그럴까 생각하고 있는데 음악의 신이 말을 덧붙였다.

"1940년에는 미국 워싱턴 주에서 다리가 강풍 때문에 부서지는 일이 있었어. 이 다리는 단순히 바람 때문에 부서진 것이 아니었지. 바람의 진동수와 다리가 흔들리는 진동수가 일치하면서 점점 더 세게 흔들리는 공명 현상이 일어났던 거야."

하이톤은 깜짝 놀라 입을 쩍 벌렸다.

"이렇듯 공명 현상은 강한 파괴력을 만들 수도 있어."

1940년 미국 워싱턴 주의 타코마 다리가 공명 현상으로 붕괴되었다.
이 이후로 건축가들은 건축물을 설계할 때 진동수를 고려하게 되었다.

소리는 무엇일까?

소리는 파동이다. 파동은 물질의 한곳에서 생긴 진동이 물질을 따라 퍼져 나가는 현상을 말한다. 파동의 가장 높은 곳은 마루, 파동의 가장 낮은 곳은 골, 진동의 중심에서 마루나 골까지의 거리는 진폭, 마루에서 다음 마루나 골에서 다음 골까지의 거리는 파장이라고 한다. 파동 그래프를 보면 소리가 퍼져 나가는 모양을 이해하기 쉽다.

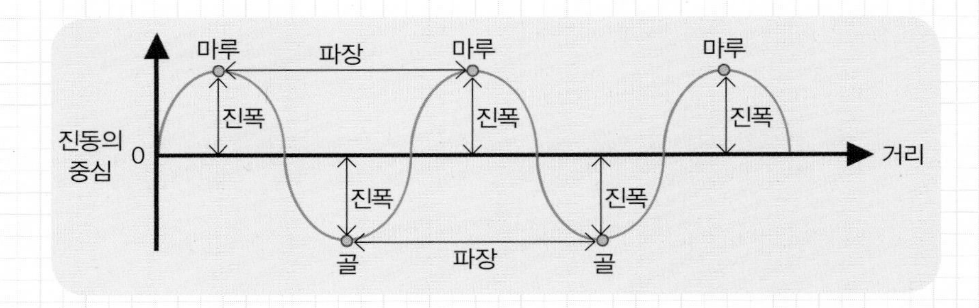

매질은 무엇일까?

소리가 전달되려면 필요한 것이 매질이다. 즉 소리는 매질을 따라 퍼져 나간다. 매질은 파동을 옮겨 주는 매개물이다. 우리가 평소에 소리를 들을 수 있는 것은 공기가 있기 때문이고, 물속에서 수중 발레리나들이 노래에 맞춰 춤을 출 수 있는 것은 물이 있기 때문이다. 이때 소리를 전달해 주는 공기와 물이 바로 매질이다.

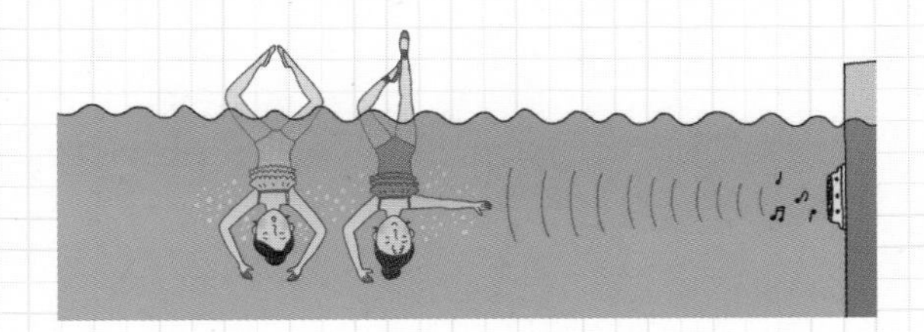

5학년 2학기 과학 1. 우리 몸

 | 우리는 소리를 어떻게 듣는 걸까?

 | 소리는 공기의 진동으로 전달되어, 귓바퀴에서 모여 바깥귀길로 들어간다. 바깥귀길을 지나며 소리가 커지고, 그 소리가 고막을 진동시킨다. 고막은 얇은 막이어서 앞뒤로 흔들리면서 진동한다.

고막이 진동하면 고막과 연결된 청소골로 진동이 전달되고, 진동은 청소골에서 달팽이관으로 전달되어 달팽이관 속의 액체를 진동시킨다. 이 진동이 전기 신호로 바뀌어 청신경을 통해 뇌에 전달되어 우리는 소리를 들을 수 있다.

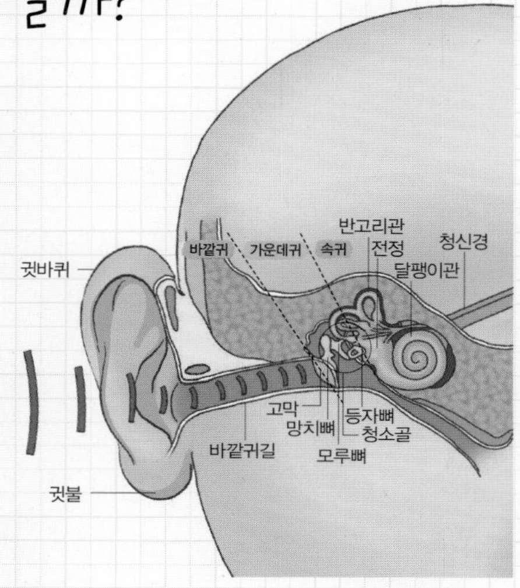

 | 1층에서는 왜 낮보다 밤에 소리가 더 잘 들릴까?

 | 1층에서 주변 소리가 낮보다 밤에 더 잘 들리는 것은 소리가 굴절하기 때문이다. 굴절이 일어나는 이유는 매질에 따라 소리가 나아가는 속도가 달라지기 때문인데, 소리는 속도가 느린 쪽으로 굴절한다. 또 소리는 매질의 온도에 따라서도 굴절하는데, 매질이 차가울수록 소리의 속도가 느려진다.

낮에는 위쪽 공기가 땅 쪽 공기보다 차가워서 소리가 위쪽으로 굴절한다. 반대로 밤에는 땅 쪽 공기가 위쪽 공기보다 차가워서 소리가 아래쪽으로 굴절한다. 그래서 1층에서는 낮보다 밤에 주변 소리가 더 잘 들린다.

2장

아름다운 소리를 만들려면

줄을 켜는 현악기

“소리를 듣는 건 중요한 일이지만, 지금 당장 안 들린다고 해도 문제될 건 없잖아. 대체 그렇게 서두르는 이유가 뭐야?”

음악의 신이 물었다. 하이톤은 엘가의 생일날 아름다운 음악을 들려주며 청혼하려는 계획을 얘기했다.

“그랬었군. 음악은 어떤 악기로 연주할 생각이야?”

“그건 아직…….”

“악기는 현악기, 관악기, 타악기로 나눌 수 있고, 그럼 현악기는 어때?”

“어떤 악기로 할지 좀 고민이 되는데요.”

“현악기의 소리는 줄을 퉁길 때 나는 고유한 진동수에 따라서 달라져. 또 줄의 팽팽한 정도와 길이에 따라서도 달라지고.”

"저도 알아요. 현악기 줄을 더 팽팽하게 잡아당겨 놓으면 소리가 높아지고, 느슨하게 두면 소리가 낮아져요. 또 같은 줄에서 음의 높이를 다르게 내려면 손가락으로 줄을 눌러서 조절하고요."

"그래, 현악기는 줄의 굵기에 따라 음의 높낮이가 달라지지. 줄을 같은 힘으로 퉁길 때 **줄이 굵을수록** 천천히 움직이게 되어서 낮은음이 나. 줄이 가늘면 빠르게 움직이고. 즉 줄이 가늘수록 높은음을 내는 거야."

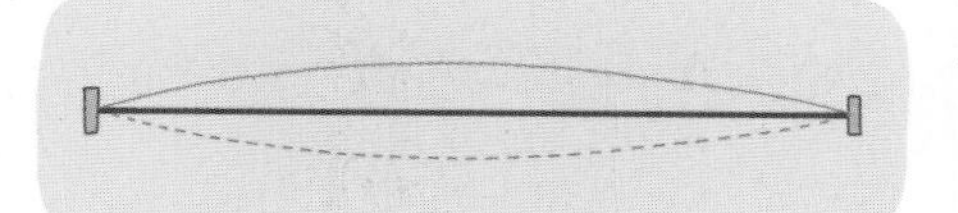

굵은 줄을 퉁길 때 진동하는 모습은 입술 모양과 비슷하다.

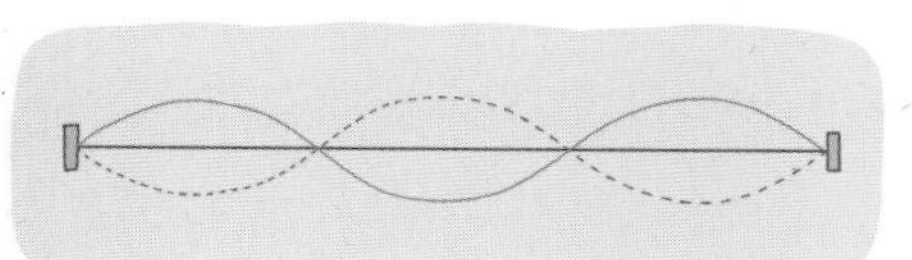

가는 줄을 퉁길 때 진동하는 모습은 작은 입술 모양 여러 개와 비슷하다.

하이톤은 기타 연주를 하면 어떻겠느냐고 물었다.

"제자, 기타 연주는 둘째 치고 기타에 왜 구멍이 나 있는지는 아나?"

"아, 그건 잘……."

"현악기의 줄은 가늘기 때문에 공기를 진동시키는 면적이 작아서 작은 소리밖에 내지 못해. 줄을 구멍이 뚫린 빈 통에 고정하고 진동시키면 소리가 구멍으로 들어가 빈 통 속에서 울리면서 소리가 커져. 그래서 현악기의 몸체는 **텅 비어** 있는 거야."

기타는 속이 텅 비어 있어 소리가 빈 통 속으로 들어가 울리면서 더 큰 소리를 낸다. 기타 줄을 감아 주면 줄이 팽팽해져서 높은음을 낼 수 있다.

"줄을 켜는 현악기 말고 피아노는 어때요?"

하이톤이 묻자 음악의 신은 깔깔 웃음을 터트렸다. 그러더니 갑자기 이렇게 물었다.

"피아노는 현악기일까, 아닐까?"

"작곡가가 된 지 얼마 안 됐다고 저를 너무 무시하시는거 아니에요?"

음악의 신은 멋쩍은 표정으로 말을 이어 갔다.

"어쨌든 난 친절한 사람이야. 그건 분명히 하자고. 피아노의 내부를 보면 피아노가 현악기라는 것을 알 수 있지. 피아노는 사람이 직접 줄을 켜거나 튕기지는 않지만 줄을 진동시켜서 소리를 내기 때문이야."

"알고 있다고요. 물론 작곡가가 되기 전엔 몰랐던 사실이지만요. 첼로나 바이올린 같은 현악기는 음을 부드럽게 이어서 연주하는데, 피아노는 여러 개의 음을 동시에 낼 수 있으니 달라 보였던 거죠."

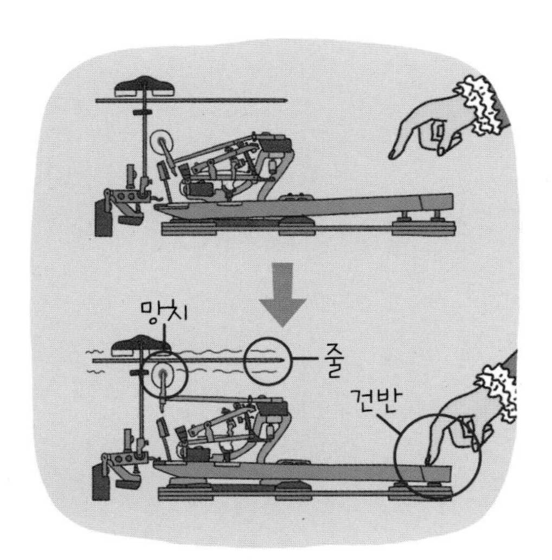

피아노 건반의 원리
건반을 누르면 건반의 뒤쪽이 올라가 작은 망치가 줄을 친다. 그러면 줄이 진동하면서 주위의 공기를 진동시켜 소리가 난다.

"그렇긴 해도 피아노는 현악기야. 피아노 내부에는 줄이 있으니까."

하이톤은 잘난 체하는 음악의 신의 콧대를 꺾고 싶어서 얼른 피아노 앞으로 가서 연주를 해야겠다고 생각했다. 그런데 음악의 신이 또 불쑥 끼어들었다.

"잠깐! 설마 의자의 높이도 조절하지 않고 연주하려는 건 아니겠지? 피아노 의자의 높이에 따라 연주하는 곡의 분위기가 달라진다고!"

"뭐, 그런 것 같긴 하더라고요."

"의자가 높으면 어깨, 손목, 손가락에 힘이 실려. 그러면 피아노 건반을 누를 때 힘이 들어간 소리가 나지. 반대로 피아노 의자가 낮으면 건반을 세게 누르기가 힘들어서 가볍고 부드러운 소리가 나."

하이톤이 고개를 끄덕끄덕했다.

피아노 내부
피아노 내부에는 약 230개의 줄이 있다. 이 줄은 한 개당 300kg 이상의 무게를 견딜 수 있을 정도로 단단하고 팽팽하게 고정되어 있다.

후후 부는 관악기

그때였다. 갑자기 음악의 신이 하이톤의 창고에 있는 플루트를 보더니 "오!" 하고 소리쳤다.

"이렇게 훌륭한 관악기를 다시 보다니!"

"그건 우리 할아버지의 할아버지, 또 그 할아버지의 할아버지가 쓰시던 거라고 했는데……. 근데 전부터 궁금했던 건데 관악기는 어떻게 소리를 내는 거죠? 그냥 속이 텅 빈 막대기에다가 구멍을 뚫은 거잖아요."

"쯧쯧, 관악기는 관 속에 있는 공기를 진동시켜 소리를 내."

음악의 신은 플루트를 직접 연주해 보였다. 아름다운 소리가 방 안 가득 울려 퍼졌다.

"봐, 관에 숨을 불어 넣을 때 입술에 힘을 주면 나가려는 공기와 가로막는 입술이 부딪쳐서 입술이 떨려. 그럼 입술이 떨리며 진동하게 된

수돗물을 틀고 물줄기에 자를 갖다 대면 자를 받치는 공기의 흐름과 물줄기가 부딪쳐서 자가 떨린다.

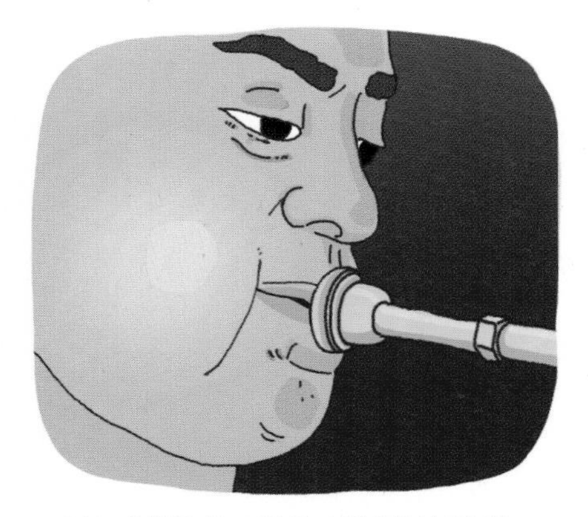

입술에 힘을 주고 관에 숨을 불어 넣으면 입 안에서 나가려는 공기와 입술이 부딪쳐서 입술이 떨리며 소리가 난다.

공기가 악기의 긴 관을 지나 밖으로 나가며 소리가 나지.”

음악의 신은 수돗물을 틀고 쏟아지는 물줄기에 자를 갖다 대는 것을 상상해 보라고 했다. 그렇게 물의 흐름과 방향이 반대인 공기의 흐름이 자에 부딪쳐서 자가 덜덜 떨리는 것과 같은 원리로 입술을 떨리게 해서 소리를 내는 게 관악기라는 거였다. 그리고 관악기에는 관을 금속으로 만든 금관 악기와 나무로 만든 목관 악기가 있고, 플루트, 클라리넷, 오보에는 금속으로 만들어졌지만 구조상 목관 악기에 속한다고 했다.

“물론 모든 관악기가 같은 원리로 소리를 내는 건 아니야. 클라리넷에는 얇은 떨림판인 리드가 붙어 있지. 오보에, 바순도 같은 원리야. 또 리드는 없지만 모서리에 공기가 부딪쳐 소리를 내는 플루트, 리코더 등도 있고.”

“그럼 관에 뚫려 있는 구멍은 뭐예요?”

“음의 높낮이를 조절하는 거지.”

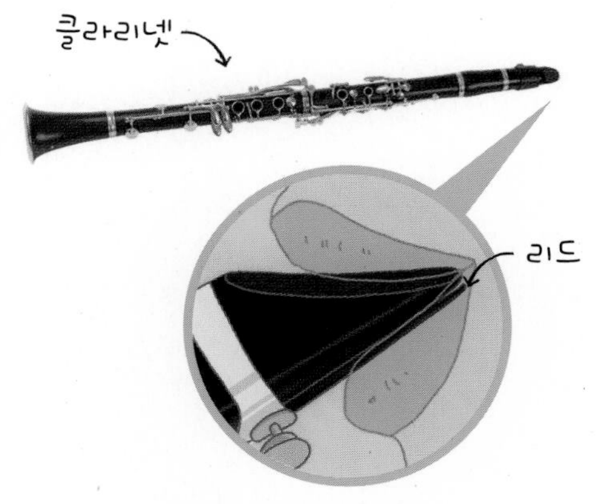

클라리넷은 숨을 불어 넣는 입구에 리드가 있다. 리드와 입구 사이에서 공기가 진동하며 소리를 낸다.

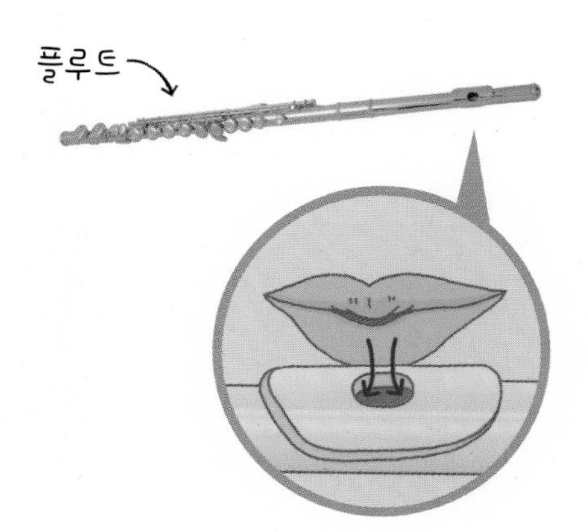

플루트는 숨을 불어 넣는 입구에 리드가 없다. 관 속 모서리에 공기가 부딪쳐서 공기가 진동하며 소리를 낸다.

두들기는 타악기

"타악기는 두드려서 소리를 내죠?"

하이톤이 물었다.

"거참, 타악기를 보면 모르나? 두드리거나 치거나 서로 부딪쳐서 소리를 내잖아. 당연한 걸 묻고 그래."

음악의 신은 북, 트라이앵글, 종, 징, 심벌즈 등이 모두 타악기에 속한다고 했다. 타악기 중에 대표적인 악기는 북인데 북은 통에 가죽을 씌워 팽팽하게 당긴 후, 북채로 쳐서 소리를 낸다는 것이다. 타악기는 대부분 음이 없지만 팀파니, 실로폰처럼 음이 있는 것도 있다고 덧붙였다.

음악의 신은 사람이 타악기를 이용하기 시작한 것은 아주 오래전이라고 말했다. 하이톤은 그 사실을 안다며 거들먹거렸다.

"기원전 3000년경 만들어진 고대 유물에서 북 그림이 발견되었으니까, 모르긴 해도 원시 시대부터 타악기를 사용했을 거야."

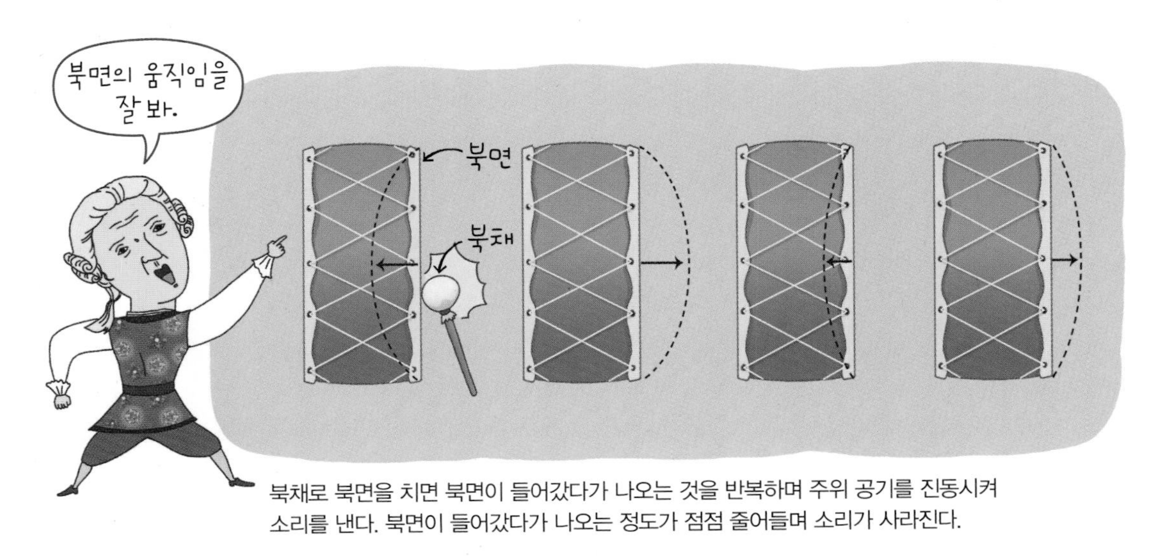

북채로 북면을 치면 북면이 들어갔다가 나오는 것을 반복하며 주위 공기를 진동시켜 소리를 낸다. 북면이 들어갔다가 나오는 정도가 점점 줄어들며 소리가 사라진다.

"하긴, 타악기는 만들기가 쉬워서 원시인들도 만들었겠네요."

"타악기 만드는 게 쉽다고?"

음악의 신이 혀를 끌끌 차며 말했다.

"북은 정교한 원리로 만들어졌어. 북면을 때리면 북면이 들어갔다 나왔다 반복하며 진동하지? 이 진동이 주위 공기를 진동시켜서 소리가 나는 거야."

북을 치니까 촛불이 흔들려!

북면이 진동하여 공기를 진동시키고, 그 진동이 촛불을 흔들리게 한다.

음악의 신은 북을 칠 때 공기가 진동하는 것을 관찰하려면 촛불을 옆에 두고 북을 쳐 보면 된다고 했다.

"촛불 옆에서 북을 치며 불꽃을 관찰해 보는 거야. 북을 약하게 치면 촛불이 약하게 흔들리고, 북을 세게 치면 촛불이 세게 흔들리지."

하이톤은 손뼉을 짝짝 쳤다. 모르는 게 없는 음악의 신이 대단하게 느껴졌던 거다.

"하이톤, 혹시 타악기로 연주하는 사물놀이를 아나?"

"물론이죠. 사물놀이는 징, 꽹과리, 장구, 북으로 연주해요. 네 가지 타악기가 흥겹고 신명 나는 가락을 만들죠."

음악의 신은 이제야 대화가 된다며 흐뭇한 미소를 지었다.

신나는 오케스트라

음악의 신이 갑자기 라디오를 틀었다. 마침 라디오에서는 오케스트라 연주가 흘러나왔다.

"난 오케스트라 연주가 정말 좋아. 여러 가지 악기 소리가 조화를 이루며 울려 퍼지는 오케스트라 연주를 들으면 마구마구 행복해져."

음악의 신은 눈을 감고 음악 소리에 귀를 기울였다.

"그렇게 좋아요? 음악의 신이라면 오케스트라 연주를 질리도록 들었을 텐데요."

"오케스트라 연주는 아무리 들어도 질리지가 않아. 제자도 알겠지만 오케스트라 연주에는 다양한 악기가 사용되잖아. 저마다 특색 있는 악기들이 모여 아름다운 하모니를 만드는데 어찌 질릴 수가 있겠어."

음악의 신은 눈을 찡긋하며 웃었다.

"오케스트라에 대해서는 얼마나 알고 있지?"

"초보 작곡가이자 지휘자이지만 오케스트라만큼은 자세하게 알고 있어요. 오케스트라는 여러 가지 악기로 이루어진 관현악단을 말하고, 가장 대표적인 것은 근대의 교향 관현악으로 관악기, 현악기, 타악기를 포함한 연주자가 60~120명으로 이루어지죠."

"오호, 역시 음악가답군. 오케스트라라는 말은 그리스어에서 왔는데, 고대 그리스의 극장에서 무용수들과 악기 연주자들이 공연하던 무대 앞에 놓인 원형 부분을 가리키는 말이었지. 좁은 의미에서 오케스트라는 현악기를 중심으로 목관 악기와 타악기가 덧붙여진 기악 합주를 뜻해. 이때 현악

오케스트라 연주에서는 지휘자의 지휘에 맞춰 관악기, 현악기, 타악기 연주자들이 함께 아름다운 선율을 만든다.

기는 악기별로 적어도 2명 이상의 연주자가 있어야 하고, 요즘의 오케스트라보다는 규모가 작지."

"17세기와 18세기 오케스트라는 20명 정도가 연주했다고 들었어요. 19세기에 관현악의 황금시대를 맞으며 연주자 수가 늘어나고 새로운 악기도 포함되었죠."

음악의 신은 기특하다며 하이톤의 어깨를 토닥였다.

"오케스트라에 대해서는 내가 더 이상 알려 주지 않아도 되겠는걸? 19세기 이후에 큰 규모의 오케스트라를 선호하고 다양한 음향을 추구하면서 대략 100명 정도의 대규모 오케스트라가 많이 만들어졌지. 하지만 1920년대부터 다시 작은 실내악 규모의 합주로 돌아가기 시작했어."

"그런 거군요."

음악의 신은 오케스트라 곡을 만들 때 음악가들은 악기마다 특색 있는 소리, 즉 음색을 고려해서 음악을 만든다고 했다.

"예를 들어 피아노의 '솔' 음과 클라리넷의 '솔' 음은 소리의 높이가 같지만 들었을 때 느낌은 전혀 다르거든."

"아니, 똑같은 음을 연주하는데 악기마다 소리가 다른 이유는 뭐죠?"

"그게 바로 음색이 다르기 때문이야. 악기마다 음색이 다른 것은 소리를 만드는 진동의 모양이 다르기 때문이지. 현악기는 악기에 따라 줄 길이가

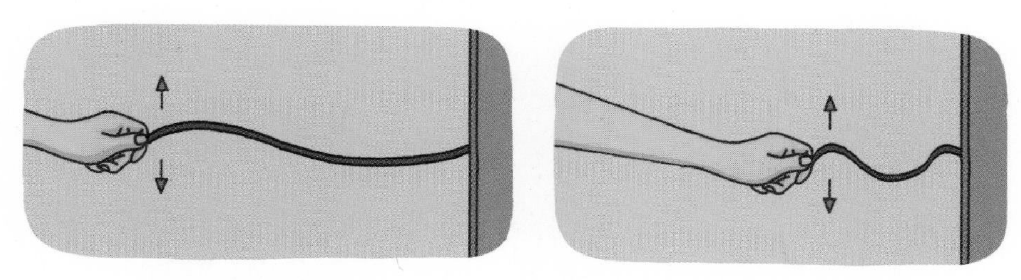

한 개의 줄을 잘라 길이가 다른 두 개로 만든 뒤, 두 줄을 벽에 각각 고정시키고 위아래로 흔들어 본다. 그러면 두 줄의 진동 모양이 다른 것을 알 수 있다.

다르고, 줄 길이에 따라서 줄이 진동하는 모양이 달라."

"그럼, 줄이 늘어나도 소리가 달라지겠네요?"

"맞아. 실제로 날씨가 더워지면 현악기의 줄이 늘어나서 음이 낮아지지. 관악기는 날씨가 더워지면 관 안에서 움직이는 공기 진동이 빨라져서 음이 높아지고."

"공연장에서 실내 온도를 일정하게 맞추는 이유가 그것 때문이었군요."

"물론 온도의 영향으로 악기의 소리가 달라지는 건 예민한 사람들만 느낄 수 있어. 그래도 **완벽한** 연주를 위해서는 악기를 잘 관리해야 해."

"음, 그럼 제가 아무리 음악을 잘 만들어도 악기 상태가 좋지 않으면 연주를 망칠 수도 있군요."

음악의 신이 **옳거니** 하고 외쳤다.

오케스트라를 구성하는 악기

오케스트라에서 악기의 배치는 대부분 현악기를 앞쪽에, 관악기를 뒤쪽에 놓는다. 현악기는 곡 구조의 중심을 이루기 때문에 앞쪽에 놓고, 관악기는 현악기 뒤쪽에 배치하여 현악기와 화음을 맞추게 한다.

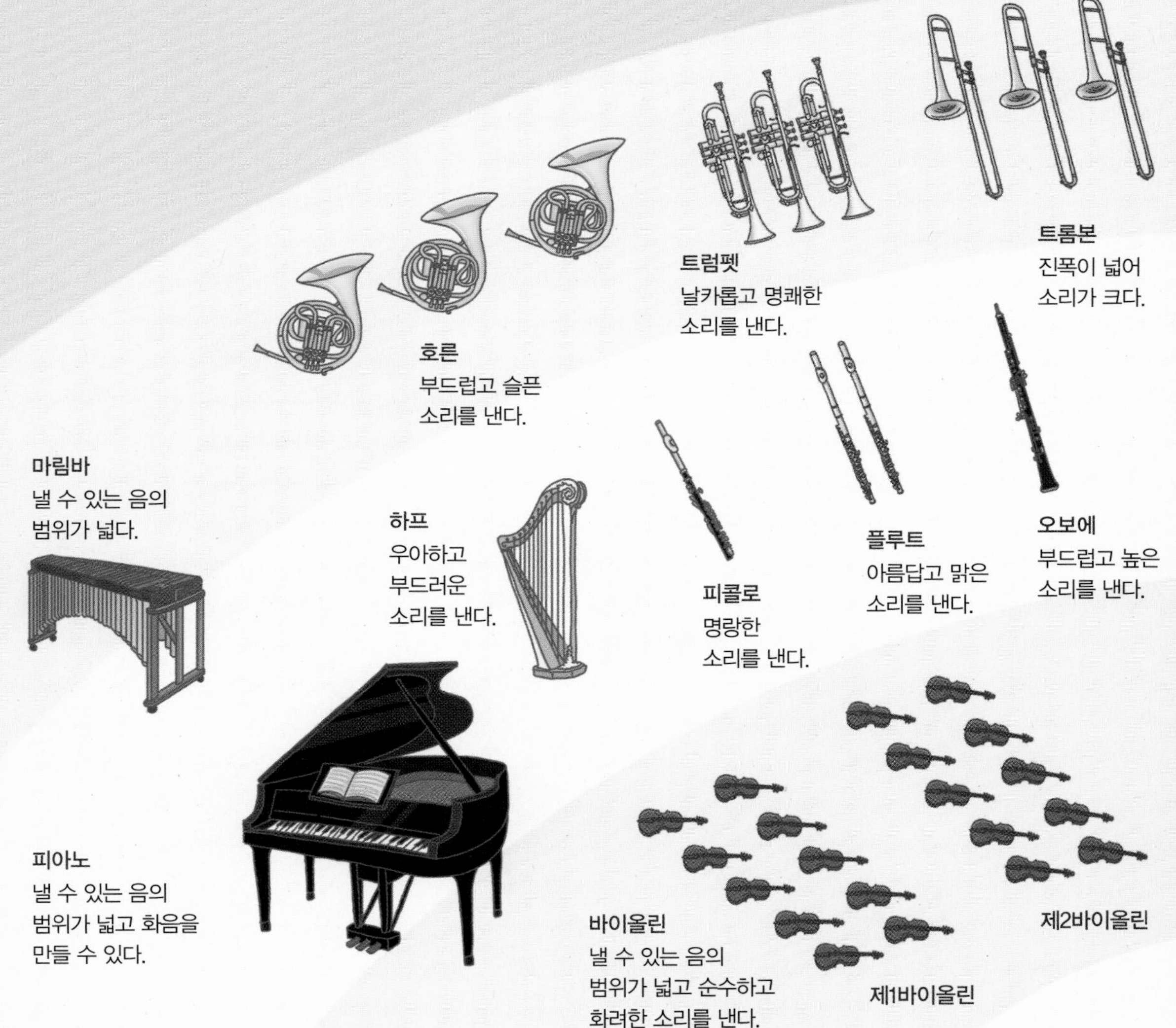

타악기는 소리가 크게 울리기 때문에 뒤쪽에 놓이고 타악기 중 팀파니는 여러 음정을 내며 관현악의 음향을 풍부하게 한다. 음색이 풍부한 피아노는 모든 악기들과 조화를 이루며 맑고 투명한 소리를 낸다.

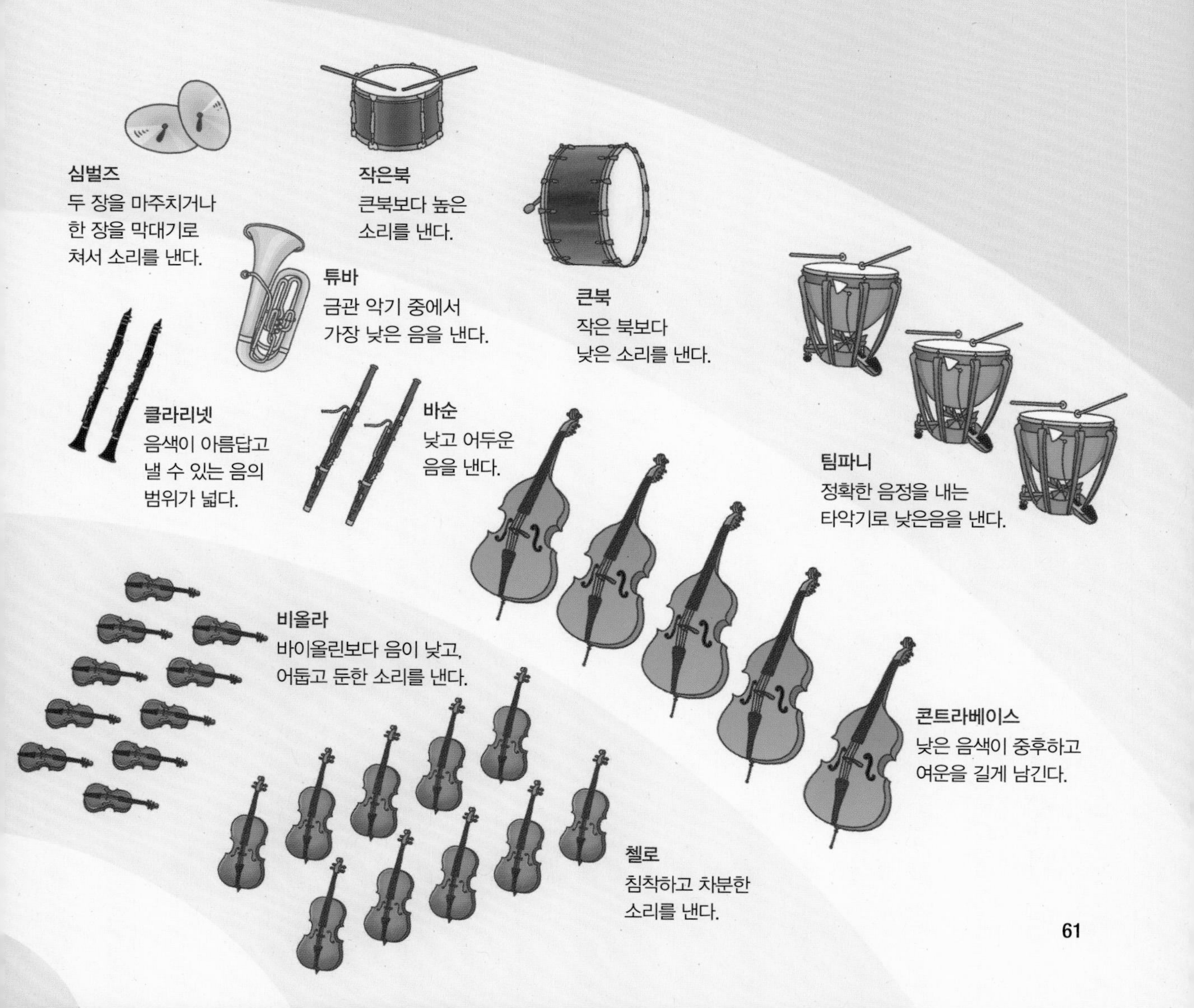

음악을 감상하는 공간

"악기의 연주가 어우러진 음악은 언제나 나를 행복하게 하지. 그나저나 제자, 음악을 더욱 웅장하게 들으려면 소리의 성질을 잘 이용해야 한다는 걸 알고 있나? 그래서 중세 사람들이 극장 건물의 천장이나 야외극장을 원형 구조로 지었던 거고."

"원형 구조로 지으면 뭐가 좋은데요?"

"원형 구조에서는 소리가 연속적으로 반사되어서 잘 퍼져."

"옛날에야 확성기나 음향 시설이 없었으니 원형 구조가 중요했겠죠. 요즘 같은 최첨단 시대에는 별로 중요하지 않아요."

"치, 음악을 감상하는 장소가 얼마나 중요한지 모르는군."

원형의 돔 구조는 소리를 연속적으로 반사시켜서 소리가 잘 퍼지게 한다.

음악의 신은 소리를 좀 더 분명하고 크게 듣기 위해 옛날 사람들은 여러 가지 연구를 했다고 말했다. 음악의 신은 아주 오래된 고대 극장 사진을 하나 보여 주었다.

"봐, 고대에는 비탈진 언덕에 극장을 세우기도 했어. 바닥이 비스듬히 기울어져 있으면 소리가 평평하게 퍼지는 것을 막아 주기 때문이지."

"고생이 많았겠네요. 요즘처럼 기계를 이용하면 될 것을."

하이톤이 대수롭지 않게 말할 때였다.

"옛날의 극장 구조나 설계 방식들을 오늘날도 활용하고 있어. 그래서 오늘날 극장 대부분이 객석 바닥을 20도 이상 기울어진 구조로 만들지. 넌 극장에도 안 가 봤니?"

"아, 그래요. 극장의 객석 바닥이 기울어져 있지요."

프랑스 오랑주에 있는 고대 극장은 객석이 기울어져 있어 반향이 크게 일어난다.

욕실에서 소리를 지르면 사방의 벽에 부딪쳐서 반사된 목소리가 한꺼번에 들려 소리가 울린다.

"그런 구조가 소리의 반향을 일으켜서 객석에 앉아 있는 사람들에게 안정적으로 소리를 전해 주는 거야."

"그런데 반향이 뭐예요?"

"소리가 반사되어 다시 들리는 현상을 반향이라고 해. 반향이 일어나면 소리가 크게 울려 퍼지지. 욕실에서 큰 소리를 낼 때 소리가 어떻게 들렸는지 생각해 봐."

"소리가 울리죠."

"오케스트라가 연주하는 공연장은 반향을 최대한 이용해서 설계해."

"공연장은 설계부터 소리를 신경 써야 하는군요."

"그럼, 그래서 소리가 잘 반사되도록 벽을 콘크리트나 돌로 만드는 거야. 또 건물의 폭은 좁고 천장은 높게 하고, 조각상 같은 장식물을 많이 두어

독일 베를린 필하모닉 콘서트홀은 천장에 장식물을 설치하여 소리가 여러 방향으로 반사되어 반향이 크게 일어난다.

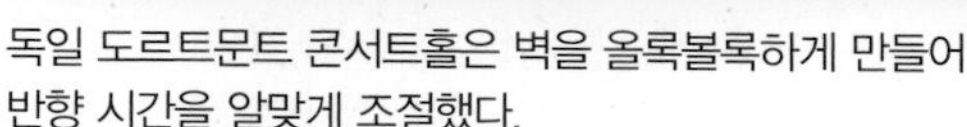
독일 도르트문트 콘서트홀은 벽을 올록볼록하게 만들어
반향 시간을 알맞게 조절했다.

소리가 여러 방향으로 반사될 수 있게 하지. 그러면 반향이 크게 일어나서 청중은 웅장한 음악 소리로 완전히 둘러싸인 느낌을 받게 되거든."

"음, 그럼 아주 비탈진 언덕에다가 경사진 극장을 세우면 되겠네요."

하이톤의 말에 음악의 신은 눈살을 찌푸렸다.

"아니, 무조건 반향이 크게 일어난다고 좋은 건 아니야. 반향을 일으킬 때는 반사되어 들리는 소리가 사라지는 시간을 고려해야 해. 이 시간을 반향 시간이라고 하는데 반향 시간을 적절히 조절하지 못하면 소리가 지나치게 오랫동안 울린다거나, 여운을 남기기도 전에 소리가 사라져 버리거든."

"아, 복잡하네요!"

"공연장에서 바닥에 양탄자를 깔거나 의자, 문, 벽에 올록볼록한 흡음재를 붙이는 것은 반향 시간이 지나치게 길어지는 것을 막기 위해서지."

"바닥이 폭신폭신하라고 양탄자 같은 걸 까는 줄만 알았는데!"

"킥킥, 흡음재는 반향되는 소리의 일부를 흡수해서 적당한 소리만 들리게 하지."

소리를 남기는 축음기

틴포일 축음기
은종이로 감은 구리 원통의 손잡이를 돌려 회전시키면 녹음이 되고, 주석으로 된 홈이 바늘과 맞닿아 소리를 냈다.

"갑자기 음악이 듣고 싶군."

음악의 신이 불현듯 생각에 잠기며 말했다. 하이톤은 도대체 어떤 음악이 듣고 싶은 거냐고 무뚝뚝하게 물었다. 음악의 신은 자신이 국왕에게 바치기 위해 연주한 합주곡 17번이 듣고 싶다고 했다.

"**세상에,** 녹음해 두었으면 모를까 그걸 어떻게 듣겠어요?"

"그래. 나도 한땐 소리를 기록했다가 듣고 싶을 때 들을 수는 없을까 고민했어. 그러다가 소리를 저장하는 기계를 만들기도 했어."

"에이, 설마. 1877년 에디슨이 만든 틴포일 축음기를 음악의 신이 만들었다는 건 아니죠?"

"킥, 믿거나 말거나지만 말야. 에디슨이 내가 만든 기계를 보고 영감을 얻어 만든 것 같아."

"말도 안돼요."

"뭐, 솔직히 틴포일 축음기는 내가 만든 기계보다 못했지. 거기 사용된 주석은 너무 얇아서 쉽게 찢어지고 소리가 작다는 단점이 있었으니까."

"하지만 훗날 그 기계는 발전을 거듭하여 현대식 축음기로 만들어졌고, 소리를 녹음해서 언제든지 들을 수 있는 녹음기 기술로까지 발전했는걸요. 하하, 제가 그쪽으로 관심이 좀 많아서요."

하이톤은 멋쩍게 웃었다.

음악의 신은 축음기가 발전하면서 사람들의 생활은 눈에 띄게 달라졌다고 했다. 이전에는 원하는 때에 연주곡을 들으려면 여러 명의 연주자들을 불러야 했지만 축음기 덕분에 사람들은 언제, 어디서나 몇 번이고 반복해서 음악을 들을 수 있게 되었다는 것이다.

"마치 시간처럼 한번 흘러가면 다시 돌이킬 수 없었던 소리를 사진처럼 오래도록 간직할 수 있게 된 거지."

음악의 신은 이후 녹음 기술이 더욱 발전하여 테이프에 소리를 녹음하게 되었다고 했다.

축음기

텔레그래폰
강철선이나 강철 리본에 자성을 이용해서 음성을 기록하고 재생하는 장치이다.

카세트 테이프
플라스틱 테이프 표면에 자석 가루를 입혀 그 위에 소리를 녹음할 수 있게 한 장치이다.

휴대용 녹음 재생 장치
작은 플라스틱 케이스 속에 녹음 테이프를 넣어 소리를 녹음하거나 듣는 장치이다.

"그쪽으로 잘 안다지만 나만큼 상세하게 알진 못할걸? 제자, 넌 최초로 테이프 녹음 기술을 개발한 때가 언젠지 아느냐?"

"그, 그런 것까진……."

"1898년이야. 덴마크의 전기 공학자 발데마르 포울센은 텔레그래폰을 발명하여 테이프 녹음 기술의 기초를 만들었어. 하지만 포울센이 이 기술을 처음 개발했을 때는 녹음된 음질이 형편없었어. 게다가 한 시간 동안 녹음하려면 수 킬로미터의 강철선이 필요했기 때문에 실제로 사용하는 것은 어려웠지."

"그럼 왜 그렇게 **힘든 걸** 만들었대요?"

"모름지기 실패는 성공의 어머니라고들 하잖아. 텔레그래폰이 발명된 이후 자기 테이프가 발명되었지. 플라스틱 테이프에 자석 가루를 입힌 자기 테이프 위에 소리를 녹음한 거야."

음악의 신은 1950년대에는 자기 테이프를 이용한 카세트테이프가 라디오 음악 프로그램에서 축음기를 대신해서 사용될 만큼 발전되었고, 이후 1960년대 말 미국과 영국의 가정에서는 음악이 녹음된 카세트테이프가 널리 사용되기 시작했다고 했다.

"카세트테이프는 저도 알아요. 일본 기업이 워크맨이라는 휴대용 녹음 재생 장치를 만들어 전 세계에 보급했다는 것도 알고요."

음악의 신은 이 기술이 발전하여 1990년대에 시디플레이어와 엠피스리 플레이어까지 개발하게 된 거라며 흐뭇하게 웃었다.

"시디플레이어는 콤팩트디스크가 필요하지만 엠피스리 플레이어는 엠피스리 파일을 이용하니까 엄청 편해졌죠. 그리고 오늘날 주로 사용하는 아이시 레코더는 플래시 메모리를 이용해서 크기가 작고 녹음이 편리하잖아요."

하이톤이 아는 체를 했다. 그러자 음악의 신이 인상을 **팍 찌푸렸다.**

"나도 알아."

"에이, 보통 카세트테이프로 녹음하면 원하는 부분을 찾고 싶을 때, 녹음한 내용을 처음부터 모두 들어야 하잖아요. 근데 아이시 레코더로 녹음한 내용은 녹음 버튼을 누를 때마다 기록되기 때문에 각각의 내용을 쉽게 찾을 수 있는 것도 아세요?"

"물론 알지. 하지만 아이시 레코더는 플래시 메모리에 따라 녹음할 수 있는 양이 제한되잖아."

하이톤은 헉 소리를 냈다. 옷차림은 오래전 사람인데 최신 정보까지 모두 알고 있는 음악의 신이 정말 신 같아 보였다.

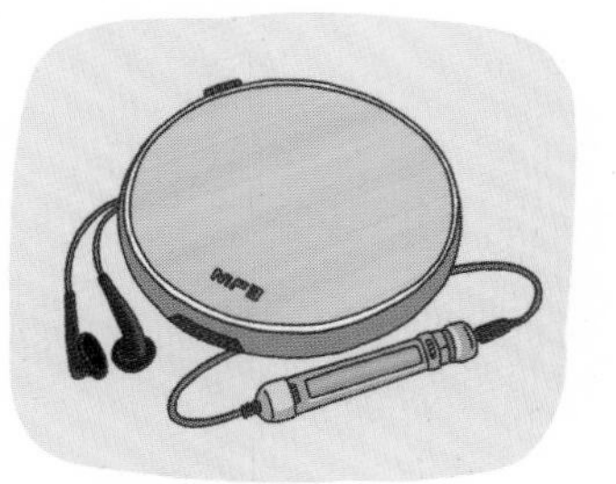

휴대용 시디플레이어
작은 플라스틱 케이스 속에 콤팩트디스크를 넣고 소리를 들을 수 있게 만든 장치이다.

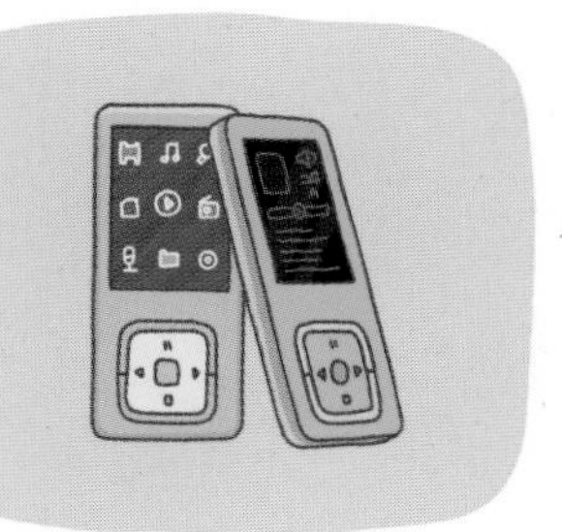

휴대용 엠피스리 플레이어
음악 파일을 재생할 수 있는 프로그램이 있는 장치로 음악 파일을 넣어 들을 수 있다.

휴대용 아이시 레코더
플래시 메모리를 넣고 녹음하거나 소리를 들을 수 있게 만든 장치이다.

소리를 전달하는 전화기

하이톤이 음악의 신과 이런저런 이야기를 하고 있을 때였다. 휴대 전화가 따르릉 울렸다. 엘가에게서 온 전화였다. 물론 하이톤은 소리를 듣지 못하니 전화가 온 줄도 몰랐다. 하지만 그 소리를 들은 음악의 신은 눈이 동그래졌다.

"이게 뭐야?"

"이거요? 휴대 전화죠. 헉! 엘가한테 전화가 다섯 통이나 왔어요."

"휴대 전화? 전화? 전화기는 말소리를 전기 신호로 바꾸어 먼 곳에 전하고, 이 신호를 다시 말소리로 바꾸어 주어 멀리 떨어진 상대방과 대화할 수 있게 해 주는 거잖아."

"그렇죠."

"전화기를 최초로 발명한 사람은 알지? 알렉산더 그레이엄 벨이라는 과학자고, 전화기 알림 음을 벨 소리라고 하는 건 벨의 이름을 딴 거고."

"그 정도는 당연히 알죠."

알렉산더 그레이엄 벨
자석식 전화기를 발명했고 일생 동안 청각 장애인에게 말을 가르치는 기술에 대해 연구했다.

하이톤은 당연하다는 듯 고개를 끄덕이며 말했다.

"지금은 벨이 아주 유명한 발명가로 알려져 있지만 벨이 전화기를 만들던 당시만 하더라도 그저 전화기를 발명하려는 여러 발명가 중의 한 명이었다는 것도 알아? 벨의 경쟁자로 엘리샤 그레이가 있었는데, 사실은 그레이가 벨보다 먼저 전화기를 발명했어."

"아, 그래요?"

"그래, 그레이는 이미 금속판을 이용해 전선으로 신호를 보내는 장치를 발명한 중견 발명가였지. 하지만 전화기를 상품화하는 데 확신을 갖지 못했고, 그러던 중 벨이 몇 시간 앞서 전화기 특허를 냈어. 그래서 벨이 최초로 전화기를 만든 사람이 됐지."

"그렇구나……."

하이톤은 건성으로 고개를 끄덕였다. 그러자 음악의 신은 오기가 생겼다는 듯 또 다른 이야기를 꺼냈다.

"벨과 그레이는 어떻게 전화기에 대한 아이디어를 생각해 낼 수 있었을까?"

"글쎄요?"

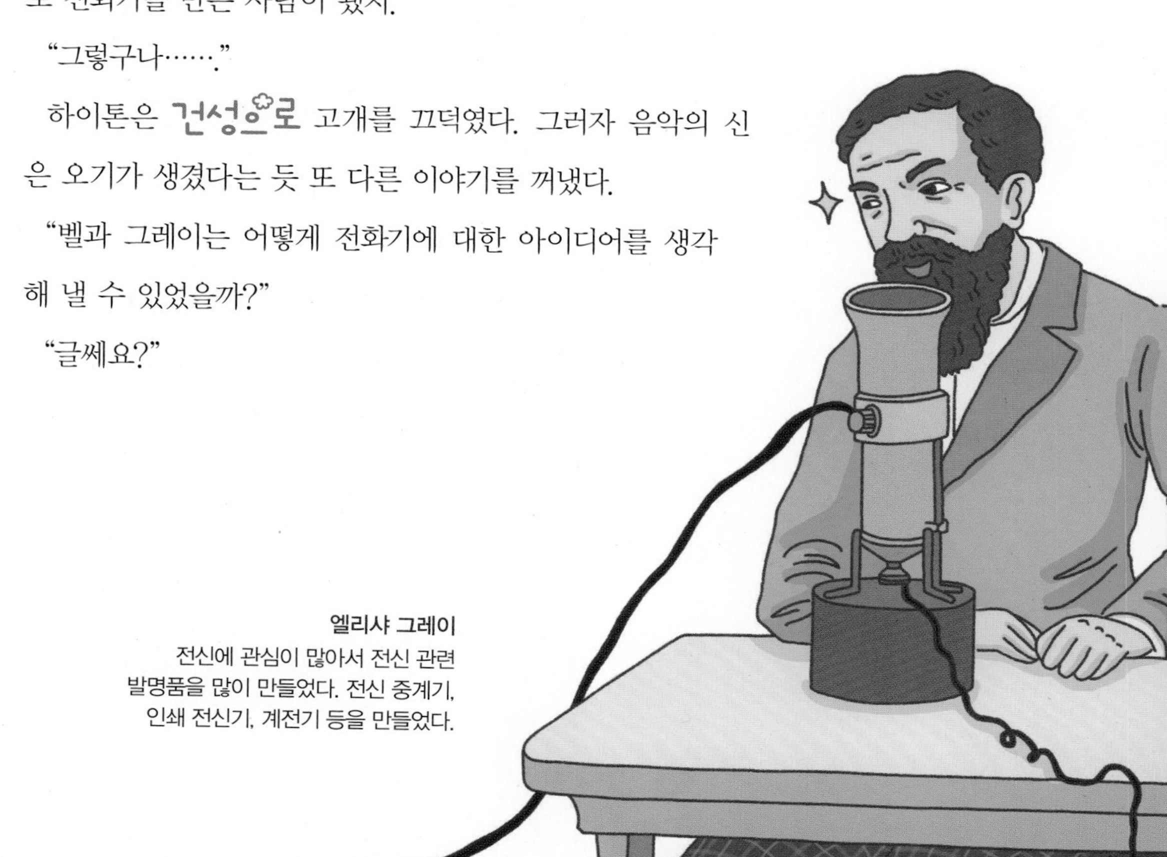

엘리샤 그레이
전신에 관심이 많아서 전신 관련 발명품을 많이 만들었다. 전신 중계기, 인쇄 전신기, 계전기 등을 만들었다.

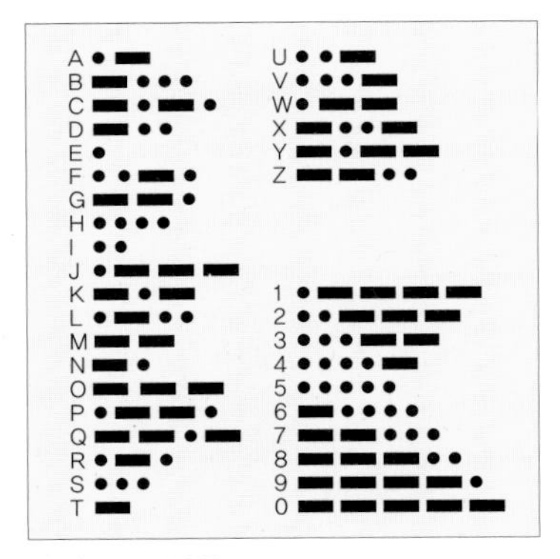

국제 모스 부호

모스 신호기

"그건 모스 부호 때문이었어. 모스 부호란 미국의 화가이자 발명가인 새뮤얼 모스가 고안한 것으로, 점과 선으로 문자와 기호를 표현하는 부호야. 모스 신호기를 이용해서 모스 부호로 전하고 싶은 말을 먼 곳까지 전달할 수 있었어."

"부호로 말을 전달한다고요? 어떻게요?"

하이톤이 관심을 갖자 음악의 신은 신나게 이야기를 이어 갔다.

"SOS를 모스 부호로 전하려면 모스 신호기를 짧게 세 번 눌러 'S'를 표현하고, 길게 세 번 눌러 'O'를 표현해. 모스 신호기를 이용해 모스 부호로 문자와 기호를 표현하면 전기 신호로 바뀌어 전달되지. 그러니까 뭐가 필요했겠어?"

"음…… 전선?"

"그래, 모스 부호를 전하기 위해서는 전선이 필요했어. 그래서 모스 부호를 주고받으려면 큰 도시의 전신국까지 가야 하니 불편했지."

"저런!"

"그러다 전쟁을 겪으며 전쟁터에서 소식을 빨리 전하기 위해 전선이 많이 깔리게 되었지. 남북 전쟁 이후 미국에는 전선이 다섯 배나 많아졌고, 모스 부호를 사용하는 사람들도 늘어났어."

"하지만 모스 부호를 모르면 소식을 전하지 못했겠네요."

"맞아, 그래서 사람들은 좀 더 편하게 이야기를 전하고 싶다고 생각했지. 모스 부호를 공부하지 않으면 상대방에게 소식을 보낼 수도 없고, 받은 소식을 해석할 수도 없기 때문에 번거로웠거든."

"엘리샤 그레이는 이런 모스 부호의 단점을 보완할 방법을 고민하다가 우연히 전기 신호를 이용해서 소리를 전달할 방법을 생각하게 됐어."

"어떻게요?"

"그레이는 물이 담긴 욕조에 두 개의 회로로 구성된 전기 장치를 설치하고, 한 회로에다가 진동을 발생시키면 그것이 소리를 내면서 다른 회로로 전달된다는 사실을 알아냈지."

"듣고만 있어도 머리가 아픈데, 그레이는 대단한 사람이었군요."

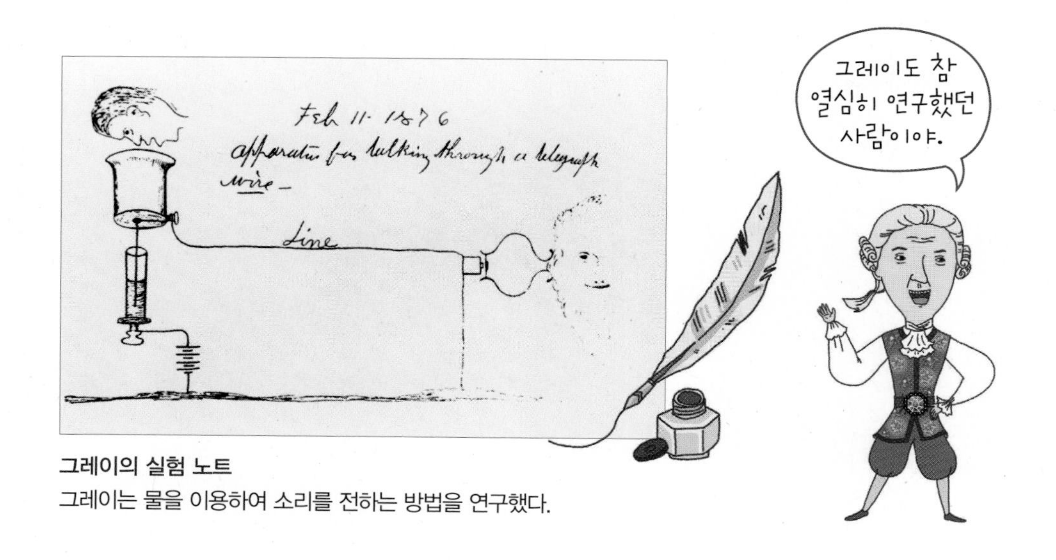

그레이의 실험 노트
그레이는 물을 이용하여 소리를 전하는 방법을 연구했다.

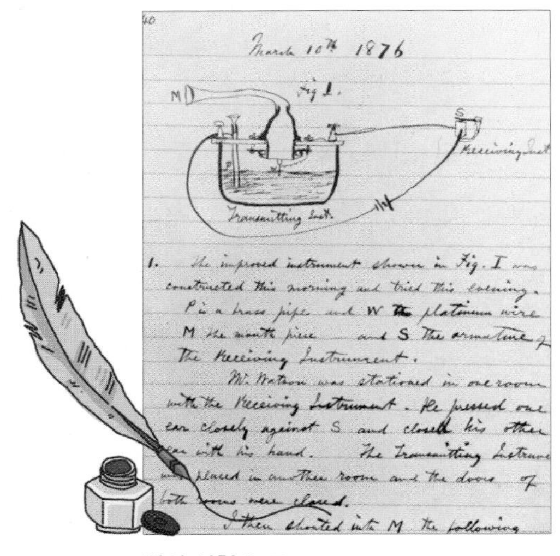
40

March 10th 1876

Fig. 1.

1. The improved instrument shown in Fig. I was constructed this morning and tried this evening. P is a brass pipe and W the platinum wire M the mouth piece and S the armature of The Receiving Instrument.

Mr. Watson was stationed in one room with the Receiving Instrument. He pressed one ear closely against S and closed his other ear with his hand. The Transmitting Instrument was placed in another room and the doors of both rooms were closed.

I then shouted into M the following

벨의 실험 노트

벨은 수신기와 건전지가 연결된 송신기의 구조를 연구했다.

음악의 신은 하이톤의 말에 대꾸도 없이 설명을 계속했다.

"그사이 벨은 목소리를 연구하고 있었어. 벨은 사람의 목소리에 호기심이 많았거든. 어느 날 벨은 자신이 만든 장치의 진동판이 진동하며 내는 소리를 듣게 되었지."

"깜짝 놀랐겠네요."

"그래, 아마도 심장이 쿵 내려앉을 뻔 했을 거야."

음악의 신은 당시에 벨과 그의 조수 왓슨이 나눈 이야기를 전해 줬다. 벨은 왓슨을 불러 무엇을 했는지 물었고 왓슨은 진동판이 전자석에 달라붙어서 이 둘을 떨어뜨리기 위해 손가락으로 진동판을 쳤다고 말했다는 것이다.

왓슨의 말을 들은 벨은 진동판과 전자석을 이용하면 소리를 전류로 바꾸어 전달할 수 있겠다고 생각했단다.

"덕분에 전화기가 발명된 거예요?"

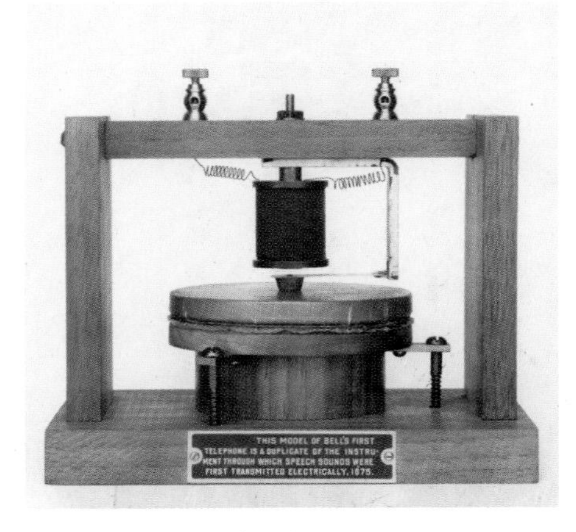

벨이 만든 최초의 전화기

벨은 목소리의 떨림을 전기 신호로 바꿔 전달되는 전화기를 발명하여 사람들 앞에 선보였다.

"그래, 벨은 오랜 연구 끝에 설계도와 설명서를 작성해서 1876년 2월 14일에 특허 신청서를 냈지. 그 후 1876년 3월 10일, 최초로 전화 통화가 이루어졌어. 최초로 통화를 한 벨이 왓슨한테 전화로 뭐라고 했게?"

"메롱?"

하이톤은 혀를 내밀며 장난스럽게 웃었다.

"이런! 벨이 왓슨에게 '왓슨, 이리로 와 주게.'라고 했지. 다른 방에 있던 왓슨은 수신 장치로 벨의 목소리를 들었어."

"그럼 그동안 그레이는 뭘 하고 있었는데요?"

"그레이도 연구했지. 그레이는 전화기 개발에 대한 생각을 먼저 했지만 벨보다 특허 신청서를 늦게 내는 바람에 세계 최초로 전화기를 만든 사람이라는 명성을 얻지 못했어."

"저런, 엄청 속상했겠네요."

하이톤은 자기도 모르게 혀를 끌끌 차며 안타까워했다.

피아노는 왜 현악기일까?

악기는 소리를 내는 방법에 따라 현악기, 타악기, 관악기로 나뉜다. 현악기는 줄을 진동시켜서 소리를 내는 악기이다. 타악기는 악기를 두들겨 진동시켜서 소리를 내는 악기이고, 관악기는 기다란 관에서 공기를 진동시켜서 소리를 내는 악기이다.

피아노를 연주할 때는 건반을 누르지만 사실은 줄을 진동시켜서 소리를 낸다. 피아노 건반과 연결된 내부를 보면 건반에 작은 망치가 연결되어 있어서 건반을 누르면 망치가 피아노 줄을 때린다. 결국 피아노 줄이 진동하면서 소리를 내므로 피아노는 현악기이다.

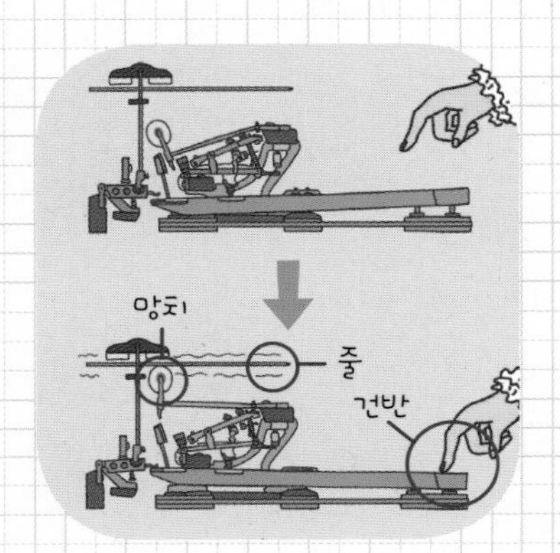

3학년 음악 악곡에 어울리는 신체 표현하기

클라리넷은 어떻게 소리를 낼까?

클라리넷은 관악기이다. 관악기는 속이 텅 빈 기다란 관에 숨을 불어 넣어 소리를 내는 악기이다. 클라리넷의 리드를 입에 물고 숨을 불어 넣으면 관에서 공기가 진동하면서 소리를 낸다. 클라리넷은 아름다운 음색과 넓은 음역 때문에 여러 가지 연주에서 중요한 역할을 한다.

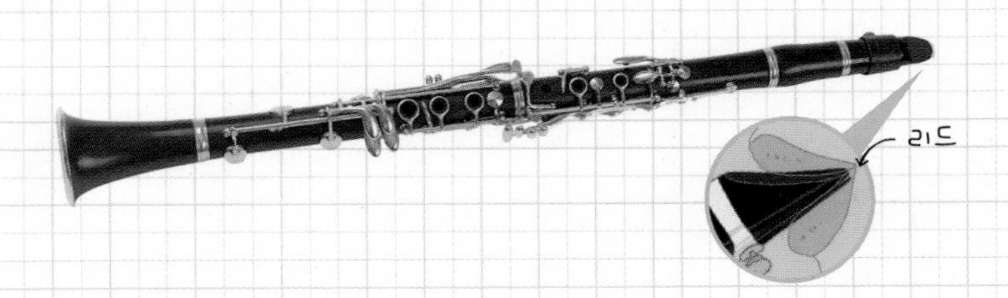

3학년 음악 악곡에 어울리는 신체 표현하기

북은 어떻게 소리를 낼까?

북은 타악기이다. 타악기는 두드리거나 치거나 서로 부딪쳐서 소리를 낸다.
북은 둥근 통에 가죽을 씌워 팽팽하게 당긴 후, 북채로 쳐서 소리를 낸다. 북면을 북채로 치면 북면이 들어갔다 나오는 것을 반복하며 주위 공기를 진동시켜 소리를 전달한다.

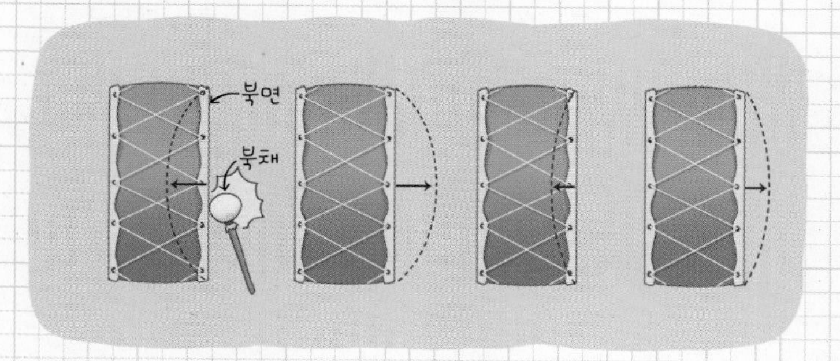

모스 부호로 SOS 신호를 어떻게 보낼까?

모스 부호는 점과 선으로 알파벳과 숫자를 나타내는 부호이다. 이 모스 부호와 모스 신호기를 이용하면 원하는 내용을 멀리 떨어져 있는 곳으로 전달할 수 있다. SOS신호는 'S'와 'O'에 해당하는 모스 부호를 연결하여 만들 수 있다. 국제 모스 부호로 'S'는 점 세 개이고, 'O'는 선 세 개이다. 따라서 SOS를 모스 부호로 나타낸 부호(•••▬▬▬•••)를 모스 신호기로 전달하여 신호를 보낼 수 있다.

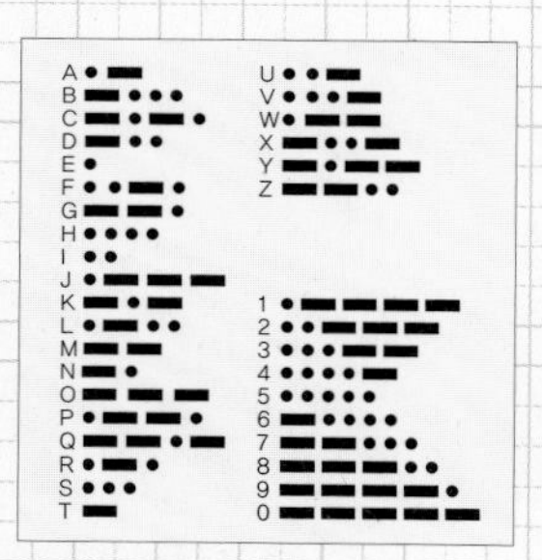

국제 모스 부호

모스 신호기

3장

사이좋은 음악과 수학

음악과 수학은 친한 사이

"그나저나 제자! 7 곱하기 8은 뭐지?"

갑자기 음악의 신이 불쑥 물었다.

"당연히 56이죠. 저를 어떻게 보시고."

하이톤은 어이가 없다는 표정으로 대답했다.

"훌륭한 음악가가 되려면 수학을 잘해야 해서 물었어."

하이톤은 음악이랑 수학은 전혀 상관없다며 코웃음을 쳤다.

"수학은 골치 아프고 딱딱한 학문이죠. 하지만 음악은 부드럽고 친근한 존재예요. 그런 둘이 어울리지 않는 건 딱 봐도 아는 사실이죠."

"쯧쯧, 넌 훌륭한 음악가가 되긴 글렀구나."

"음악가가 수학을 아주 잘할 필요는 없잖아요?"

"천만에. 오래전 우리 음악가들은 음악을 작곡하기 위해서 수학 문제를 풀었지. 우린 노래 속에 수학적 코드를 숨겨 두어야만 했거든."

그 말을 들은 하이톤은 애써 놀라지 않은 척했다.

음악의 신은 하이톤에게 한심하다며 핀잔을 주었다.

"피타고라스란 사람 알아?"

"혹시 그 수학자 피타고라스 말인가요?"

"그래. 피타고라스는 세상 모든 것이 숫자로 이루어졌다고 말했지."

"칫, 세상 모든 것이 숫자라니."

하이톤은 시큰둥하게 말했다.

"수학과 음악은 아주 밀접한 관계가 있어. 음악에서 높이가 다른 음과 음 사이의 간격을 나타내는 음정을 계산할 때 수학이 필요하잖니."

"네?"

하이톤은 고개를 갸우뚱했다.

"음정을 수학으로 표현한 사람은 피타고라스가 처음이었지. 세상 모든 것이 수로 이루어졌다고 생각한 피타고라스는 현악기의 음이 악기 줄의 길이에 따라 달라진다는 걸 알아냈어."

"줄의 길이에 따라 음이 다른 건 당연한 거잖아요."

하이톤이 뾰로통하게 말했다. 그런 하이톤에게 질세라 음악의 신은 눈을 부릅뜨고 하이톤을 노려보며 대꾸했다.

"피타고라스가 오래전에 알아낸 뒤, 당연한 사실처럼 전해져 왔기 때문에 우리가 당연하다고 느끼는 거야!"

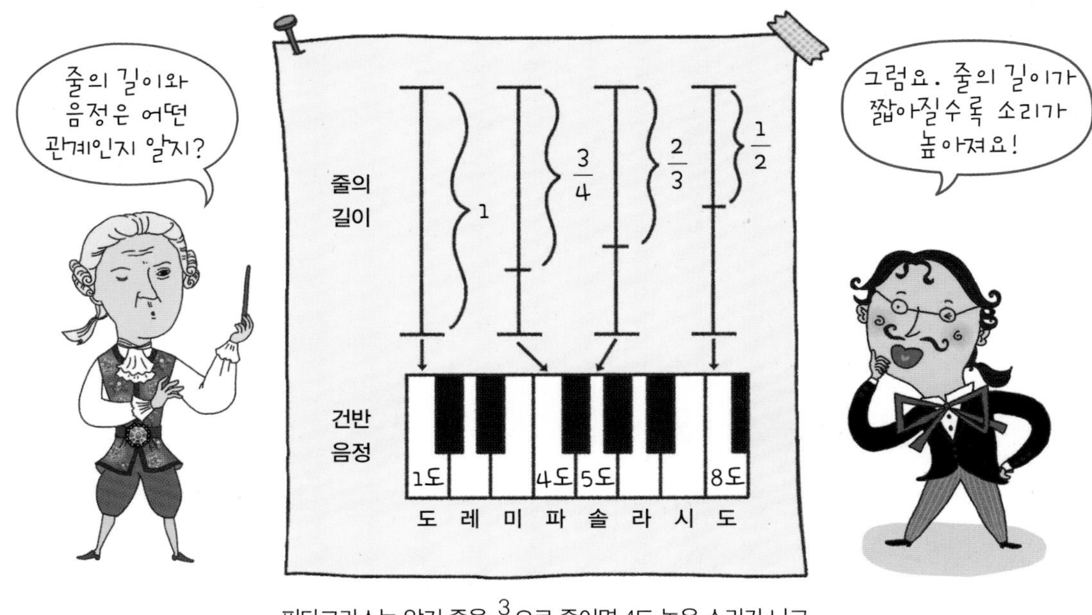

피타고라스는 악기 줄을 $\frac{3}{4}$으로 줄이면 4도 높은 소리가 나고, 줄을 $\frac{2}{3}$로 줄이면 5도 높은 소리, 줄을 $\frac{1}{2}$로 줄이면 8도 높은 소리가 난다는 걸 알아냈다.

음악의 신은 다시 침착하게 말을 이어 갔다.

"바이올린을 켜거나 기타를 칠 때에도 줄의 특정 위치를 짚어 길이를 조절해서 음을 바꾸잖니? 원하는 음을 내려면 어디를 짚어야 할지 길이를 계산하는 게 곧 수학이고!"

하이톤은 고개를 **갸웃갸웃했다.**

"피타고라스는 음이 마치 수학의 분수와 같다고 생각했어. 전체를 부분으로 나눌 때 사용하는 분수 말이야."

"그러니까 악기의 음을 다르게 낸다는 것은 악기의 줄을 나누어 분수로 나타내는 것과 마찬가지라고 생각한 거군요?"

"그래! 바로 그거야. 줄의 전체를 1이라고 한다면 절반으로 줄였을 때는

$\frac{1}{2}$이 되고, 거기서 반을 줄이면 $\frac{1}{4}$이 돼. 이렇게 줄의 길이를 조절하면 $\frac{2}{3}$로 만들 수도 있고, $\frac{3}{4}$으로 만들 수도 있지?"

"물론 원하는 대로 길이를 조절할 수 있죠."

"피타고라스는 이 원리를 이용해서 줄의 길이가 짧을수록 높은 소리가 난다는 사실을 발견했어. 우리가 알고 있는 '도레미파솔라시도' 7음계는 바로 피타고라스가 만들어 낸 거지."

하이톤은 7음계를 유명한 음악가나 작곡가가 아니라 수학자가 만들었다는 사실에 **충격을 받았다.** 그런데 그게 다가 아니었다. 피타고라스는 두 음의 길이 비가 2:1, 3:2, 4:3일 때 화음이 가장 조화롭게 들린다는 사실도 알아냈다고 했다.

"좀 어려운 말이지만 잘 들어 봐. 음악과 수학이 아주 밀접한 관계가 있다는 건 평균율과 순정률을 통해서도 알 수 있단다. 피타고라스는 음을 조율할 때 다음의 비율을 썼어."

"음악의 신은 종이에 분수를 쓰기 시작했다."

$1, \frac{256}{243}, \frac{9}{8}, \frac{32}{27}, \frac{81}{64}, \frac{4}{3}, \cdots\cdots$

하이톤은 머리가 복잡해졌다. 분수가 눈앞에 가득 펼쳐지자 앞이 어질어질하고 속이 느글느글해질 지경이었다.

"이, 이게 뭔데요?"

"이 분수를 계산해서 나온 길이만큼 악기의 줄을 조절하는 조율법이야."

"$\frac{256}{243} = 1.05349794\cdots\cdots$이니까 줄의 길이를 그만큼 조절하면 되겠네요."

하이톤은 속으로 피아노 조율을 하려면 종이를 한 뭉치 가져와서 수학 계산부터 해야겠다고 생각했다.

음표 속에 숨은 수학

"아까 어떤 음을 내면 소리굽쇠가 진동한다고 했던 거, 기억나?"

하이톤은 **씩씩하게** 고개를 끄덕였다.

"그럼, 음의 높이와 진동수는 어떤 관계가 있는지 알려 주마."

하이톤은 속으로 안 알려 줘도 된다고 말하고 싶었다. 그 속에 또 복잡한 수학이 숨어 있다면 머리가 **지끈지끈** 아파올 것 같았기 때문이다. 하지만 음악의 신은 곧바로 설명을 시작했다.

"우리가 일반적으로 '도'라고 알고 있는 음은 공기가 1초 동안 264번 진동하면서 나는 소리야. 이것은 264Hz이지. '레' 음은 '도' 음 진동수보다 $\frac{9}{8}$배가 커서 1초에 297번 진동하는 소리고, '미' 음은 '도' 음 진동수보다 $\frac{81}{64}$배가 커서 1초에 약 334번 진동하며 나는 소리야."

"소리의 진동수가 높아지면 음도 높아지는 거고요."

"그렇지. 음의 높이와 진동수는 비례하지. 한 옥타브 차이의 음은 진동수가 두 배씩 차이가 나. 옥타브는 어떤 음에서 완전 8도의 거리에 있는 음을 말해. 높은 '도' 음과 낮은 '도' 음은 한 옥타브 차이지."

"그럼 높은 '도' 음은 낮은 '도' 음보다 진동수가 2배 커서 1초에 528번 진동하겠군요."

"그렇지. 피아노가 오케스트라에서 사용하는 모든 악기의 높고 낮은 소리를 낼 수 있는 건 아니? 건반이 88개인 피아노에서 가장 낮은 '라' 음은 콘트라베이스가 내는 가장 낮은 음보다 낮고, 피아노 건반에서 가장 높은 '도' 음은 피콜로가 내는 가장 높은 음과 같아."

하이톤은 **흥미진진했다.** 지금까지 하이톤에게 수학과 음악의 관계를 이렇게 자세하게 알려 준 사람은 음악의 신이 처음이었다.

소리의 황금 비율

음악의 신이 피아노를 치기 시작했다. 그 모습을 보니 하이톤도 엘가에게 들려줄 음악을 연주하고 싶었다. 비록 소리가 들리지 않았지만 연습이라도 하려고 하이톤은 바이올린을 연주했다. 그러자 음악의 신이 양쪽 귀를 틀어막으며 **빽 외쳤다.**

"시끄럽잖아!"

하이톤이 깜짝 놀라 바이올린 연주를 멈추자, 음악의 신은 다시 자신이 연주하는 음악에 취해 **흐뭇한** 표정을 지었다.

"악기를 함께 연주한다고 모두 아름다운 화음이 나는 것은 아니지."

"여러 악기들을 동시에 연주할 때 어우러져 아름다움이 느껴지는 소리는 따로 있지. 악기 소리를 따로 들었을 때는 아름답던 소리가 다른 악기랑 함

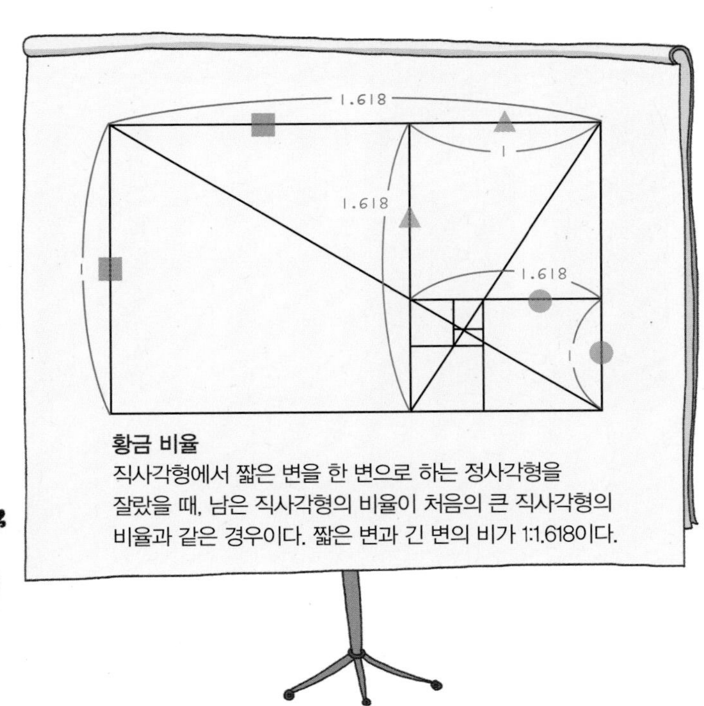

황금 비율
직사각형에서 짧은 변을 한 변으로 하는 정사각형을 잘랐을 때, 남은 직사각형의 비율이 처음의 큰 직사각형의 비율과 같은 경우이다. 짧은 변과 긴 변의 비가 1:1.618이다.

께 연주했을 때는 전혀 어울리지 않을 수도 있어."

음악의 신은 악기 소리의 황금 비율이 맞지 않기 때문에 연주했을 때 어울리지 않는 거라고 했다.

"황금 비율요?"

"그래, 황금 비율이란 약 1:1.618이지."

"그건 가장 아름다워 보이는 비율을 말하는 거 아닌가요?"

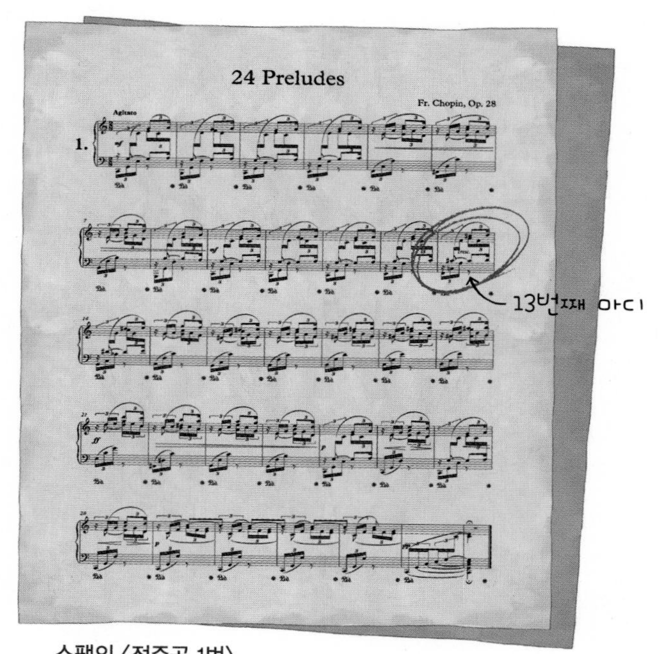

쇼팽의 〈전주곡 1번〉

"그렇지. 그런데 눈에 보이지 않는 소리에도 황금 비율이 적용돼. 예를 들어 34마디로 이루어진 쇼팽의 〈전주곡 1번〉은 13번째 마디에서 화음의 연결이 크게 변하지. 전체 34마디를 황금비 1:1.618에 맞추어 나누면 13:21이니까 황금비에 맞춰진 음악인 거야."

"우아, 대단하네요."

음악의 신은 우리가 황금 비율에 맞춰진 음악을 들을 때 전율을 느끼고, 아름다운 감정을 느낀다고 했다. 우리가 명곡으로 꼽는 모차르트, 바흐, 헨델 등 유명한 음악가들의 음악에는 모두 황금 비율이 숨어 있다고도 했다.

하이톤은 음악가들이 정말 대단해 보였다. 그리고 자신도 앞으로는 왠지 더 멋진 곡을 만들 수 있을 것 같았다.

소리와 속도

열심히 설명을 듣던 하이톤은 피곤해서 의자에 주저앉았다. 그런데 실수로 리모컨을 건드리는 바람에 텔레비전이 켜지고 말았다. 때마침 텔레비전에서는 육상 경기가 한창이었다. 선수들은 출발선에 서 있었다.

땅!

출발을 알리는 총소리와 함께 선수들이 **우르르** 출발했다.

"그거 알아? 실제로 출발 신호 소리는 레인에 설치된 스피커에서 나."

"에이, 설마요."

"어휴, 제자는 정말 모르는 게 많군. 소리의 전달 속도 때문에 피해를 보는 선수가 없도록 레인에 스피커를 설치하는 거야."

하이톤이 믿을 수 없다는 듯 눈을 휘둥그레 떴다.

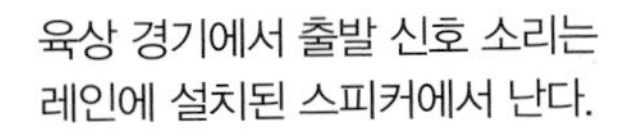

육상 경기에서 출발 신호 소리는 레인에 설치된 스피커에서 난다.

"모르나본데, 실온에서 소리는 1초에 약 340m를 가. 다시 말해 소리가 났을 때 340m 거리 밖에 있는 사람은 이 소리를 1초 후에 들을 수 있다는 뜻이야."

"그럼 한쪽에서만 총을 쏘면 총을 쏘는 곳과 멀리 있는 선수는 총소리를 늦게 들어서 불리하네요."

"맞아. 그래서 출발선의 각 선수 뒤에 스피커를 두어 출발 신호를 동시에 듣게 하는 거야."

하이톤은 신기한 듯 귀를 기울였다.

"또 소리의 속도는 공기의 온도에 따라서도 달라져. 20℃에서 소리의 속도는 초속 343.7m지만, 0℃일 때는 초속 331.5m로 느려져. 이 값을 기준으로 온도가 1도 오르면 소리의 속도는 초당 0.61m 빨라지고, 온도가 1도 낮아지면 소리의 속도는 초당 0.61m 느려지지."

음악의 신은 '공기 중 소리의 속도(m/s)=331.5+(0.61×섭씨온도)'라고 하며 기온이 섭씨 5도일 때 소리의 속도를 계산해 보라고 했다.

섭씨 5도일 때 소리의 속도(m/s)=331.5+(0.61×5)
=331.5+3.05
=334.55

"기온이 섭씨 5도일 때 소리는 1초에 334.55m를 가네요. 어쨌든 기온이 높을수록 소리가 더 빨리 전달되는 거네요."

음악의 신은 제법이라며 고개를 끄덕였다.

'레' 음의 진동수는 몇 Hz일까?

'레' 음의 진동수를 알려면 우선 음의 높이와 진동수가 비례한다는 사실을 알아야 한다. '레' 음은 '도' 음보다 높은음이니까 진동수가 더 크다. '도' 음의 진동수는 264Hz이고, '레' 음의 진동수는 '도' 음의 진동수보다 $\frac{9}{8}$배가 크다. 이것을 식으로 나타내면 $264 \times \frac{9}{8} = 297$, 즉 '레' 음의 진동수는 297Hz이다.

쇼팽의 전주곡 1번이 총 34마디로 이루어졌다면 몇 번째 마디가 황금 비율에 해당할까?

황금 비율은 약 1:1.618이다. 전체가 총 34마디라면 황금 비율에 해당하는 마디의 위치는 아래 식으로 구할 수 있다.

$34 \times (\frac{1}{1 + 1.618}) = 34 \times \frac{1}{2.618} = 12.99$

따라서 황금 비율에 해당하는 마디는 13번째이다. 실제로 쇼팽의 〈전주곡 1번〉은 13번째 마디에서 화음의 연결이 크게 변한다.

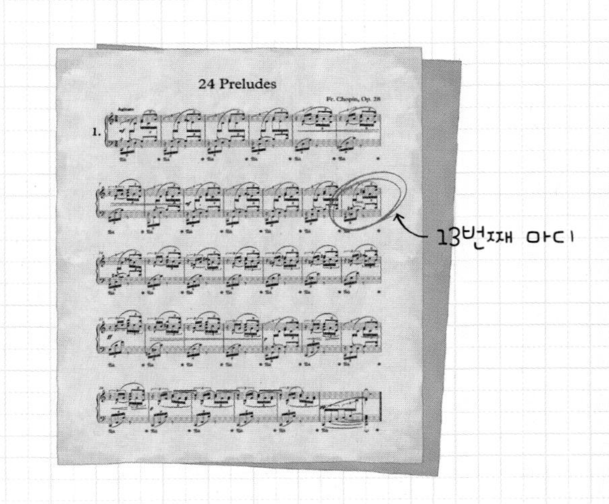

섭씨 0℃ 일 때 소리의 속도가 초속 331.5m라면, 섭씨 30℃일 때 소리의 속도는 얼마일까?

소리의 속도를 계산하려면 우선 공기를 통과하는 소리의 속도를 구하는 식을 알아야 한다. 0℃일 때 소리의 속도가 초속 331.5m이고 섭씨온도가 1도 오를 때마다 소리의 속도가 초당 0.61m 빨라지니까 이것을 이용해서 식을 세우면,

공기 중 소리의 속도(m/s) = 331.5 + (0.61X섭씨온도)이다.

이를 이용해서 섭씨온도가 30℃일 때 소리의 속도를 구하면,

공기 중 소리의 속도(m/s) = 331.5 + (0.61X섭씨온도)

= 331.5 + (0.61X 30)

= 349.8(m/s)

즉 섭씨온도가 30℃일 때 소리의 속도는 초속 349.8m이다.

빛과 소리 중 무엇이 더 빠를까?

빛과 소리 중 무엇이 더 빠른지는 천둥이 치는 날 쉽게 확인할 수 있다. 천둥이 치는 날에 번쩍하는 빛이 나타난 후에 천둥소리가 들렸는지, 우르릉 쾅 하는 천둥소리가 들린 후에 빛이 번쩍했는지를 관찰해 보자. 그러면 번쩍하는 빛이 나타나고 이어서 소리가 들리는 것을 알 수 있다. 소리는 초속 340m로 아주 빠르지만 빛은 그보다 약 90만 배가 더 빨라서 1초에 약 3억m를 이동한다. 즉 빛이 소리보다 더 빠르다.

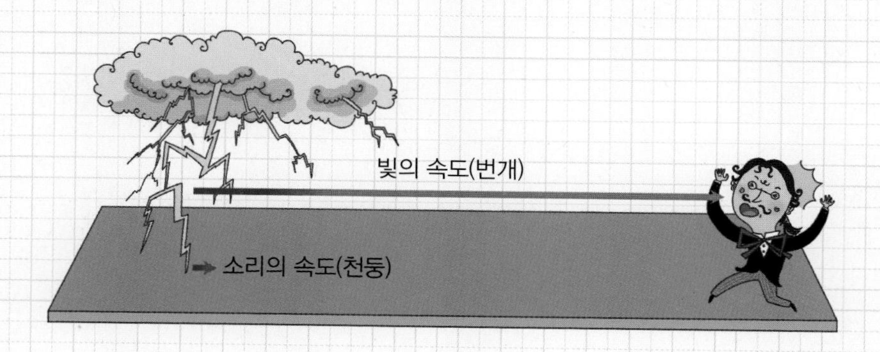

4장 우리 생활 속 소리

듣기 좋은 음악, 듣기 싫은 소음

마침내 엘가의 생일날이 되었다.

하이톤은 비록 소리가 들리지 않았지만 음악의 신에게 도움을 받아 열심히 음악을 만들었다. 엘가에게 들려줄 아름다운 음악, 사랑을 고백하는 음악을 만든 것이다. 하이톤은 연주자들과 함께 무대에 올라 지휘봉을 들자 가슴이 벅차올랐다.

'엘가가 이 음악을 들으면 얼마나 기뻐할까.'

음악의 신은 킥킥대며 그 모습을 지켜보고 있었다. 그 순간 하이톤과 음악의 신의 눈이 딱 마주쳤다. 그러자 음악의 신은 언제 웃었냐는 듯 정색하며 얼굴을 돌렸다. 하이톤은 뭔가 찜찜했지만 지휘를 시작했고, 연주자들은 지휘에 맞춰 연주를 시작했다.

끼잉, 깽, 꽈앙!

연주가 계속될수록 엘가의 표정이 굳어졌다. 그걸 눈치채지 못한 하이톤은 최선을 다해 지휘했다. 하이톤은 아름다운 음악을 듣고 있을 엘가를 떠올리며 흐뭇한 미소를 지었다.

'엘가가 이 음악을 들으면 내 마음을 받아 주겠지? 엘가를 세상에서 제일 행복한 여인으로 만들어 줄 거야.'

소리가 들리지 않는 하이톤의 생각 속에서는 아름다운 연주가 펼쳐지고 있었지만 실제는 그렇지 않았다. 연주자들이 굳은 표정으로 겨우 연주를 마치고는 웅성거리기 시작했다. 아무것도 모르는 하이톤은 뿌듯한 표정으로 엘가에게 다가갔다.

"하이톤, 이게 날 생각하는 마음이라고?"

"그래!"

하이톤의 대답에 엘가는 눈물을 글썽였다.

"그렇게 감동적이었어?"

아무것도 눈치채지 못한 하이톤이 물었다.

"미워!"

엘가는 울면서 뛰어갔다. 하이톤이 뒤따라갔지만 잡을 수가 없었다.

하이톤은 울상이 된 채로 음악의 신에게 물었다.

"도대체 엘가가 왜 저러는 거죠?"

"낄낄, 기분이 나빴나 보지."

"지금 웃음이 나와요? 어떻게 음악을 듣고 기분이 나쁠 수 있죠?"

"소리는 사람을 행복하게도, 불쾌하게도 만들지. 칠판을 손톱으로 긁을 때 나는 끽 소리는 작은 소리라도 듣기 싫잖아. 이렇게 불쾌감을 주는 소리를 소음이라고 해."

"그래서요?"

"방금 제자가 들려준 연주는 소음이었던 거야."

며칠 동안 열심히 만든 음악더러 소음이라니 하이톤은 기가 막혔다.

"제자, 음악은 말이야. 듣는 사람을 즐겁게 해야 해. 음악은 박자, 가락, 음정을 조화롭게 결합하여 만든 아름다운 소리잖아. 그래서 음악을 들으면 마음이 안정되고 즐거워지고 흥이 나."

"제 음악이 조화롭지 않았다는 건가요? 그럼 이제 어쩌죠? 엘가 마음을 어떻게 돌리냐고요."

"내가 다 생각이 있으니 좀 기다려 봐."

"칫, 무슨 생각이요? 어쨌든 제 연주를 망쳤으니 책임지세요."

"알았다, 알았어."

하이톤이 가까스로 마음을 가라앉히며 호흡을 가다듬었다. 그러자 음악의 신은 합창 연습을 할 때 여러 명이 화음을 맞추지 않고 각자 자기 소리만 낸다고 생각해 보라고 했다. 하이톤은 시끄럽고 찢어질 듯 날카로운 소리를 상상했다. 생각만 해도 귀를 틀어막고 싶었다.

"제 음악이 그랬나요?"

음악의 신은 고개를 끄덕이며 음악가에 대해 알려 주겠다고 했다.

우리가 아름다운 음악을 들을 수 있는 것은 음악을 연구하고 발전시킨 음악가들 덕분이다. 그중 하이든, 모차르트, 베토벤, 쇼팽은 자신만의 개성 있는 음악을 만들고 이끌어 간 작곡가들이다.

하이든(1732년~1809년)

하이든은 오스트리아의 작곡가로 교향곡의 아버지로 불린다. 100곡 이상의 교향곡, 70곡에 가까운 현악 4중주곡 등으로 고전주의 음악을 완성했다.

하이든은 오스트리아 동부의 작은 마을에서 목수의 아들로 태어났다. 5세 때 교회 음악가인 친척 집에 가서 교육을 받고 1740년에 성스테파노대성당의 소년합창대에 들어갔다. 하지만 변성기라 목소리가 변하면서 합창단에서 나오게 되었다. 그로부터 10년 후에 한 백작 집안의 악장이 되었고, 1790년까지 거의 30년에 가까운 세월 동안 성실하게 악장으로 일했다.

하이든은 악장으로 일하며 수많은 교향곡, 현악 4중주곡, 오페라 등을 작곡했다. 1781년에는 소나타 형식의 완성체로 일컬어지는 〈러시아 4중주곡〉을 완성했는데, 이 곡은 모차르트에게 영향을 주었다. 하이든은 모차르트와 함께 단정한 형식미를 중시하는 고전주의 음악을 완성했다.

모차르트(1756년~1791년)

모차르트는 하이든과 같이 오스트리아의 작곡가로 빈 고전주의 음악의 대표적인 인물이다. 모차르트는 고전주의의 여러 양식을 받아들여서 자신만의 개성 있는 음악을 완성했다.

모차르트는 오스트리아 서부의 잘츠부르크에서 태어났다. 어릴 때부터 음악에 재능을 보여 4세 때 건반을 치는 교육을 받고, 5세 때 작은 규모의 곡인 소곡을 작곡했다. 7세부터 3년 넘게 서유럽 곳곳을 여행했고 이 경험이 그의 작품에 영향을 주었다. 여행 중 8세 때 영국의 런던에서 최초의 교향곡을 작곡하기도 했다.

이후 10대 소년 시절에는 오페라를 작곡했고, 이 곡이 이탈리아의 밀라노에서 1770년에 연주되었다. 이후 오스트리아 빈에서 작곡한 교향곡과 현악 4중주곡은 하이든의 작품과 함께 고전주의 음악을 완성시켰다. 1785년 무렵 하이든을 직접 알게 되어 서로의 음악에 영향을 주고받았으며 1780년대 후반에는 오페라 〈피가로의 결혼〉과 〈돈 조반니〉 같은 작품으로 최고의 성공을 거두었다.

모차르트는 35세로 짧은 생을 마감했지만 작곡가로서 위대한 업적을 남겼다. 그의 작품은 오페라, 실내악, 교향곡, 피아노 협주곡 등 여러 영역에 걸쳐 다채롭다. 또한 새로운 음악 양식을 흡수하여 독창적인 음악을 탄생시켰다.

베토벤(1770년~1827년)

베토벤은 독일의 작곡가로 감상적인 정서를 중시하는 낭만주의 음악의 선구자였다. 베토벤의 음악은 정열적이고 강력한 느낌이 특징이다.

베토벤은 독일의 본에서 가난한 음악가의 아들로 태어났다. 4세 때부터 궁정 악장인 아버지에게 혹독한 음악 교육을 받았고, 8세 때는 피아노 협주곡을 연주할 수 있을 정도가 되었다.

1787년 오스트리아 빈에서 모차르트를 만나 음악에 대한 집념이 강해졌고, 그해 어머니가 세상을 떠나면서 정신적으로 성숙해지는 계기가 되었다. 1792년에는 오스트리아 빈에서 잠시 하이든에게 음악을 배웠고, 하이든의 영향을 받은 음악을 만들면서도 개성 있는 작품들을 탄생시켜 결국 독자적인 음악을 완성했다.

1800년대 초부터 활발하게 창작 활동을 했다. 청력을 점점 잃어 가고 있었지만 이를 극복하고 작곡 활동을 멈추지 않은 것이다. 그 덕분에 〈영웅 교향곡〉, 〈운명 교향곡〉, 〈전원 교향곡〉, 〈합창 교향곡〉 등의 위대한 작품들이 쏟아져 나왔다.

그 이후에도 베토벤은 작품 활동을 멈추지 않았다. 이전 음악들보다는 역동성이 약해졌지만, 깊은 마음의 세계를 표현하여 신비로운 감동을 준다.

쇼팽(1810년~1849년)

쇼팽은 폴란드의 작곡가이자 피아니스트이다. 쇼팽은 음악에 있어 위대한 시인으로 불린다.

쇼팽은 폴란드의 바르샤바에서 태어났다. 그는 6세 때 정식으로 피아노를 배우기 시작했고, 8세 때 바르샤바 자선 음악회에서 공개 연주를 했고, 3년 후에는 러시아 황제 앞에서 즉흥 연주를 했다.

또한 그가 작곡한 행진곡이 군악대가 행진할 때 쓰이며 신동으로서 명성을 떨쳤다.

쇼팽은 1829년 빈에서 가진 두 번의 연주회와 1832년 파리에서 개최한 연주회에서 좋은 평가를 받았다. 프랑스의 파리에서 쇼팽은 우아한 매너, 세련된 옷차림, 뛰어난 감각으로 연주가와 음악 교사로 환영 받으며 활동했다. 이 무렵 창작 활동도 활발히 하여 후대에 약 200여 곡의 피아노 곡을 남겼다.

쇼팽은 피아노로 연주할 때 새로운 연주법을 사용했다. 페달을 사용하여 음색을 다양하게 하고 손목과 팔을 유연하게 움직이며 노래하는 듯한 선율을 만들었다. 또한 섬세한 감각과 감성으로 창의적인 음악을 만들었다.

1849년 쇼팽은 병으로 건강이 나빠져 죽음을 맞이했다. 그는 뛰어난 상상력과 섬세함으로 자유롭고 독창적인 작품을 많이 남겼으며 피아노 연주법에 큰 영향을 미쳤다.

소리는 감동을 더해 줘

"그나저나 엘가가 단단히 화났을텐데. 같이 영화라도 보자고 할까요? 그럼 화가 조금이라도 풀릴까요?"

"영화는 좋은 생각이 아닌 것 같은데……."

음악의 신은 영화에서 소리가 들리지 않는다고 상상해 보라고 했다.

"하긴 그래요. 영화는 소리가 들려야 제맛이죠. 영화를 보면서 감동하고, 손에 땀을 쥐는 **긴장감**을 느끼고, 때때로 간이 철렁하는 **공포**를 느끼는 건 영상과 그 순간에 잘 어울리는 소리 때문이잖아요."

"그렇지. 영화를 촬영할 때는 배우들의 목소리나 주변의 소리를 함께 녹음해. 옛날에는 영상만 틀어 놓고 화면 옆에서 사람이 직접 대본을 읽거나 효과음을 내는 무성 영화도 있었지."

"아! 영화에 맞춰 내용을 설명하는 변사를 본 적 있어요. 남자 변사였는

데 여자 배우가 나오니 재빨리 여자 목소리를 냈어요."

"킥킥, 맞아. 옛날엔 그랬지. 하지만 기술이 발달하면서 소리가 담긴 유성 영화가 등장했지. 배우들의 목소리와 효과음이 영화에 들어간 거야."

"저도 유리가 깨지는 효과음을 낼 수 있어요. 쨍그랑!"

하이톤이 유리 깨지는 소리를 내자 음악의 신이 껄껄 웃음을 터트렸다.

"지금은 기술이 발달해서 컴퓨터로 소리를 쉽게 만들지만 예전엔 천둥소리를 내려고 금속판을 치고, 새의 날갯짓 소리를 내려고 종이를 흔들고, 빗소리를 내려고 쌀알을 유리판 위에 떨어뜨렸어."

하이톤은 눈살을 찌푸렸다. 생각만 해도 번거로웠다.

"그래도 소리를 포기할 순 없었어. 소리는 영화를 더 실감 나게 해 주니까. 넌 지금 목소리 말고 다른 소리는 못 들으니까 영화를 보더라도 팥 없는 단팥빵을 먹는 기분이겠지."

하이톤은 절망해서 풀썩 주저앉았다.

소리가 건강을 돌봐 줘

엘가는 문제의 연주회 이후 연락이 되지 않았다. 하이톤의 낯빛은 갈수록 어둡고 창백해졌다.

"괜찮아? 몸이 많이 안 좋아 보이는데? 우선 건강부터 챙겨야지. 그래야 다시 엘가의 마음을 돌리지 않겠나."

음악의 신은 소리가 우리의 건강 상태를 알려 주기도 한다고 했다.

"몸속에서 여러 가지 소리가 나잖아. 예를 들면 사람은 건강할 때 목소리가 맑고 또렷해. 하지만 몸이 피곤하거나 감기에 걸리면 목소리가 갈라지고 찢어지지."

"병원에 가면 의사가 청진기를 배나 등에 대는 것도 소리를 듣는 거죠?"

"그렇지. 몸속에서 나는 소리를 듣고 사람의 상태를 진단하는 걸 청진이라고 해. 처음 청진을 한 의사는 그리스의 히포크라테스란다."

의사는 청진기로 심장이 뛰는 소리, 숨쉴 때 공기가 드나드는 소리를 들으며 진찰한다.

"헉, 히포크라테스는 엄청 옛날 사람이잖아요."

"그래, 그는 환자들의 몸에 귀를 가까이 대고 몸속에서 들리는 소리로 병을 판단했어. 히포크라테스의 진단법을 발전시켜서 만든 게 바로 오늘날의 청진기야."

"그런데 청진으로 어떻게 건강을 판단하죠?"

"건강한 사람은 심장의 심실이 수축하고 확장할 때 둥둥 소리가 연달아 들려. 이 소리의 간격을 듣고 몸 상태가 좋은지 나쁜지 판단하지."

"치, 생각보다 간단하네요."

"한의학에서도 사람의 몸속 소리를 중요하게 여겨. 한의사는 손으로 맥을 짚어 진동을 느껴 환자의 증상을 파악하지."

한의사는 환자를 진맥하여 증상의 원인과 질병의 예후를 판단한다.

"와. 신기하네요."

하이톤은 동양의 한의학까지 모르는 것이 없는 음악의 신에게 감탄했다.

"심장 소리나 내장 기관의 소리는 무척 작아서 주의를 기울이지 않으면 듣기가 힘들어. 그래서 다양한 도구로 진단하지. 아이를 가진 엄마의 배에 대고 아기의 심장 소리를 듣는 도구도 있어."

하이톤은 고개를 끄덕이다 말고 물었다.

"그래서 제 몸 상태는 어떤데요?"

"넌 지금 아주 심각한 병에 걸렸어. 그 병은……."

하이톤이 두려움 가득한 표정으로 귀를 기울이자 음악의 신이 목소리를 낮게 깔고 말했다.

"바로 상사병!"

태아 심음 측정기
화면으로 태아의 모습을 볼 수 있고, 스피커로 태아의 심장이 뛰는 소리를 들을 수 있다.

"상사병이요? 그건 사람을 그리워하는 마음의 병이잖아요."

음악의 신은 고개를 끄덕이며 소리로 병을 알 수도 있고 병을 치료할 수도 있다고 했다.

"제자, 아름다운 음악을 다시 듣게 되면 그 상사병은 금방 나을 거야."

"소리가 들려야 음악을 듣죠. 우선 소리가 들리지 않는 이유를 빨리 찾아야 해요."

음악의 신은 하이톤의 말에 들은 체도 않고 이야기를 계속했다.

"스위스의 정신 의학자인 오이겐 블로일러는 자폐증에 걸린 아이들에게 음악을 들려주는 치료를 했어. 그러자 자기의 세계에 갇혀 지냈던 자폐증 아이들이 조금씩 달라졌지. 음악을 통해 감정을 느끼고 그것을 표현하려는 모습을 보였던 거야."

"음악이 자폐증 치료에 효과를 보였군요."

"블로일러가 개발한 음악 치료는 어떤 음악을 계속 들려주고 노랫말을 바꾸어 부르거나 감정에 따라 다양한 음악을 듣게 해서 마음을 치료하는 것이었어."

"그렇군요. 저도 우울할 때 신나는 음악을 들으면 기분이 한결 좋아져요. 그래서 음악을 좋아하죠."

"신나는 음악을 들으면 우리 뇌에서는 베타 엔도르핀이라는 호르몬이 분비되는데, 이것이 고통과 스트레스를 줄여 주어 기분이 좋아지는 거야. 또 음악을 들으면 도파민이나 호르몬이 분비되어 혈압, 심장 박동수, 호흡에 영향을 주지. 그래서 음악으로 병을 치료할 수 있는 거고."

“그럼 얼마나 오래 음악을 들어야 병이 나아요?”

“음악 치료는 하루아침에 큰 효과가 나타나지는 않아. 약이나 주사로 아픈 곳을 낫게 하는 방법과는 다르니까. 하지만 꾸준히 반복하면 조금씩 나아질 수 있어.”

음악의 신은 음악 치료가 마음의 치유뿐만 아니라 암이나 특수 질환을 앓는 환자에게도 적극적으로 활용되고 있다고 했다.

“음악은 정말 우리에게 **꼭 필요한** 존재이군요.”

음악의 신은 음악 치료사라는 직업도 알려 줬다. 음악 치료사는 정신 병원이나 지역 사회 건강 센터, 청소년 치료 센터, 마약이나 알코올 재활 센터 등에서 환자들과 함께 악기 다루기, 노래 부르기, 음악 들려주기를 하며 병을 치료한다고 했다.

소리로 물체를 찾아

하이톤은 엘가의 마음을 되돌리려고 곰곰이 생각한 끝에 아름다운 반지를 하나 사 왔다.

"예쁜 반지를 보면 엘가의 화가 풀리겠죠?"

그때 반지를 들고 있던 하이톤이 실수로 반지를 떨어트렸다. 반지가 어디론가 데굴데굴 굴러서 사라져 버렸다.

"걱정 마, 내가 소리를 이용해서 반지를 찾아 줄게."

"네? 소리로 물건을 찾아요?"

"그럼, 소리로 물체를 찾는 음향 탐지기가 있어. 음향 탐지기는 돌고래가 먹이를 사냥하는 방법을 이용하여 개발되었지. 돌고래는 이마에서 초음파를 발생시키고, 턱 양쪽으로 초음파를 감지해. 그래서 돌고래는 초음파를 쏜 다음, 그것이 물고기 떼에 부딪쳐 반사되어

돌아오는 것을 감지하여 먹이를 찾지."

음악의 신은 옛날 어부들은 물속에서 나는 소리를 듣고 물고기를 잡기도 했다고 말했다. 구멍을 뚫은 대나무를 물속에 담가 두고, 대나무를 통해 물고기 떼가 이동하는 소리를 듣고 물고기를 잡았다고 했다.

"근데, 소리를 이용해서 물체를 찾은 적이 있긴 해요?"

하이톤이 좀 의심스럽다는 듯 물었다.

"타이타닉 호라고 들어 봤나?"

"네, 그건 엄청 **크고** **화려한** 배잖아요."

"1912년 당시 가장 큰 배였지. 그런데 타이타닉 호는 뉴펀들랜드 해역에서 빙산과 충돌하여 침몰했어. 이 사고로 1,500명이 넘는 사망자가 생겼어. 사람들은 바닷속에 가라앉은 타이타닉 호를 찾기 위해서 음향 탐지기를 이용했어. 그리고 마침내 소리를 이용해서 타이타닉 호를 찾아냈지."

"와, 소리는 정말 많은 곳에 이용되네요."

드디어 소리를 되찾다

하이톤은 계속 엘가 생각에 빠져 있었다. 그때 엘가에게 문자가 왔다.

'날 진심으로 사랑한다면 다시 새로운 음악을 만들어 줘.'

하이톤은 엘가의 연락에 가슴이 **벅차올랐다.** 엘가를 위해 다시 아름다운 음악을 만들어야겠다고 다짐했다.

하이톤이 소리에 대해 골똘히 생각하고 있을 때 음악의 신이 말했다.

"무슨 생각을 그렇게 골똘히 하고 있어?"

"제가 세상의 많은 소리를 듣지 못하고 며칠 살아 보니 느낀 게 참 많아요. 소리 없는 삶은 정말 따분하고 지루할 거예요."

"당연하지."

"아름다운 소리는 음악이 되고, 그 음악은 사람들을 행복하게 만들고요. 전 엘가뿐만 아니라 모든 사람들을 행복하게 만드는 음악을 만들고 싶어요. 그게 제가 훌륭한 작곡가가 되어 해야 할 일 같아요!"

하이톤의 이야기를 들은 음악의 신이 방긋 웃었다.

"이제야 네가 할 일을 깨달았구나. 제자야! 넌 앞으로 아름다운 음악을 많이 만들어야 해. 네가 만든 음악 덕분에 사람들은 기쁨을 느끼고 행복해할 거야. 넌 그럴 수 있어. 왜냐하면 넌 내 자랑스러운 후손이니까."

"네?"

순간 하이톤은 할아버지의 할아버지의 할아버지, 그 할아버지의 할아버지가 음악가였다는 이야기가 떠올랐다.

"그러면 음악의 신인 당신은……."

"그래, 난 할 일을 다 한 것 같으니 가야겠다. 네 귀에 꽂아 둔 요술 솜도 빼 주마. 이제 모든 소리를 마음껏 들으렴."

음악의 신은 하이톤의 귀를 틀어막고 있던 솜을 **뽁** 하고 빼냈다. 그리고 순식간에 어디론가 사라졌다. 하이톤이 어리둥절한 사이, 하나도 들리지 않았던 주변의 소리가 거짓말처럼 생생하게 들렸다.

"아, 할아버지! 할아버지 말씀대로 아름다운 음악을 만들 거예요. 우선 엘가를 위한 음악부터 만들고요."

하이톤의 입가에는 환한 미소가 번졌다.

소음과 음악의 차이는 무엇일까?

A | 소음은 듣는 사람에게 불쾌감을 주는 소리다. 그래서 소음은 작은 소리라도 듣기 싫다. 반면 음악은 듣는 사람을 즐겁게 한다. 소음과 음악의 차이는 소리가 조화를 이루고 있는가이다. 음악은 박자, 가락, 음정을 조화롭게 결합하여 만든 아름다운 소리다. 그래서 음악을 들으면 마음이 편안해지고 즐거워진다.

소리로 건강을 알 수 있을까?

몸에서 나는 여러 가지 소리로 건강을 알 수 있다. 예를 들어 목소리로도 건강을 알 수 있다. 우리 몸이 건강할 때는 목소리가 또렷하고 맑지만 감기에 걸리거나 피곤할 때는 목소리가 갈라진다. 좀 더 자세한 건강 상태를 알려면 청진기를 사용한다. 병원에서 의사가 배나 등에 청진기를 대고 소리를 듣는 것은 우리 몸속의 소리를 듣고 건강 상태를 판단하기 위해서다. 한의사가 손으로 진맥하는 것도 환자의 몸속 진동을 느껴 건강 상태를 파악하는 것이다.

고전 음악이란 무엇일까?

고전 음악이란 서양의 전통적인 작곡 기법이나 연주법으로 만든 음악이다. 흔히 대중음악이 아닌 음악을 말한다. 음악의 역사에서 보면 고전 음악은 작곡가 바흐와 헨델의 시대를 지나 1750년 정도부터 약 80년 동안의 음악으로, 바로크 시대와 낭만파 시대 사이에 위치한다. 바로크 시대와 낭만파 시대에 비해 뚜렷한 인상을 주었기 때문에 고전 음악 시대라고 따로 일컬어진다.

고전 음악 시대는 단순 명쾌한 선율의 화성 음악을 추구했고, 성악 음악보다 기악 음악이 인기가 있었다. 또한 소나타 형식이 생겨나 교향곡, 협주곡, 현악 중주곡 등 새로운 기악 양식이 사용되었다.

소리로 어떻게 물체를 찾아낼까?

소리로 물체를 찾아내려면, 물체가 있을 것이라고 예상하는 방향으로 초음파를 쏘아 물체에 반사되어 돌아오는 초음파의 각도와 초음파가 돌아오는 시간을 측정해야 한다. 그리고 측정한 값을 이용해서 물체까지의 거리를 알아낸다.

이때 다음과 같은 시간, 거리, 속력의 관계식을 이용한다.

$$\text{시간} = \frac{\text{거리}}{\text{속력}}$$

초음파의 속력, 초음파가 돌아오는 시간을 측정해서 식에 넣어 계산하면 물체까지의 거리를 알 수 있다. 초음파가 돌아오는 각도와 물체가 있는 거리를 알면 물체를 찾을 수 있다.

핵심 용어

고체
책상, 시계, 거울, 지우개 등과 같이 일정한 모양과 부피를 가지고 있으며, 쉽게 변형되지 않는 물질의 상태. 다른 그릇에 옮겨도 모양이 달라지지 않음. 손으로 잡을 수 있고 눈으로 볼 수 있음. 고체 중에는 엿, 고무처럼 모양이 변하는 것도 있음.

굴절
빛이나 소리 등이 한 물질에서 다른 물질로 들어갈 때 그 경계에서 진행 방향이 바뀌는 현상.

리코더
세로로 부는 피리 비슷한 서양 악기.

매질
소리와 같은 파동을 전달하는 물질. 예를 들어 공기, 물, 실 등이 있음.

반사
나아가던 파동이 어떤 물체의 표면에 부딪혀 반대로 되돌아오는 현상.

세포
생물체를 구성하는 가장 작은 단위.

소나타
몇 개의 악장으로 이루어진 독주나 실내악의 형식.

액체
물, 우유, 간장 등과 같이 부피는 일정하나 일정한 모양을 가지지 않아 담는 그릇에 따라 모양이 달라지며, 흐를 수 있는 물질. 손으로 잡을 수는 없지만 눈으로 볼 수 있음.

옥타브
어떤 음에서 위나 아래로 완전 8도의 거리에 있는 음, 또는 그 간격. 낮은 '도' 음과 높은 '도' 음은 1옥타브 차이가 난다고 말함.

음색
음악에 사용되는 악기나 목소리 등의 특색. 같은 높이의 음을 같은 크기로 울려도 진동 방법 등에 따라 음색이 달라짐.

음정
음과 음 사이의 간격. '숫자'와 '도'로 표시함. 같은 높이의 음은 1도, 오선지에서 음의 간격이 넓어질 때마다 2도, 3도 등으로 나타냄.

전주곡
본격적으로 악곡이 시작되기 전에 연주되는 도입부의 곡으로 나중에 쇼팽의 24개 전주곡과 같이 독립되어 연주되는 기악곡으로 발전함.

초음파
사람이 들을 수 없는 20,000Hz 이상인 주파수의 소리를 말함.

탄성체
외부에서 힘을 가하면 부피와 모양이 바뀌었다가 그 힘이 사라지면 원래의 모양으로 돌아가려고 하는 성질이 있는 물체.

폐
허파와 같은 말로, 가슴 속에 있어 동물이 숨을 쉬게 함. 양쪽에 2개가 있으며, 포도송이 모양의 허파꽈리(폐포)로 이루어져 있음.

호르몬
몸속의 기관에서 만들어져 어떤 조직이나 기관의 활동을 조절하는 물질.

화음
높이가 다른 2개 이상의 음이 동시에 울려서 나는 소리. 성질에 따라 협화음, 불협화음 등이 있음.

활
바이올린이나 첼로 같은 현악기의 줄을 켜는 막대.

회절
나아가던 파동이 장애물을 만나면 뒤쪽으로 돌아가는 현상.

일러두기

1. 띄어쓰기는 국립국어원에서 펴낸 「표준국어대사전」을 기준으로 삼았습니다.
2. 외국 인명, 지명은 국립국어원의 「외래어 표기 용례집」을 따랐습니다.